コロナ禍と気候変動問題から考える

科学×技術×社会

佐藤直樹
著

ミネルヴァ書房

はじめに

私たちの生活の中で「科学」はさまざまなところで使われ、役立っているように見える。もちろん学校の勉強の中でも科学知識が出てくるが、それは別として、生活の中で使われるさまざまな機器には「科学技術」が使われているように見える。誰もが一日中手元に置いているスマートフォンは、IT技術の粋を集めた、言うなれば、人類英知の結晶のようなものに思える。生活のあらゆる場面で、IT化が進み、いろいろなものが自動的にちょうどよいように動くようになっている。また、この三年あまりにわたるコロナ禍で、新型コロナウイルスが蔓延し、人々に危害を加えてきたことについて、専門家からの「科学的な説明」がなされ、「科学的な対処法」などが提案されてきた。他方、地球規模での気候変動が話題となる中、二酸化炭素を排出しないことが美徳とされるようになり、その理由にも「科学」が登場する。毎日の生活の中で、「科学」と関係のない瞬間はほとんどないようにすら思える。

では、「科学」とは何か。多くの人々にとって、科学とは「何かよくわからない難しい理屈だが、結局のところ人々の役に立つもの」というくらいのものなのではないだろうか。科学とは何かということを突き詰めて考える機会はあまり多くないだろう。学校でも正面切って、科学とは何かを教えられることはないかもしれない。何か合理的なもの、計算できるもの、専門家だけがよくわかっているもの、しかし、科学技術は現代の生活にとって、なくてはならないものという感じだろうか。

この三年あまりのコロナ禍の間に、コロナの専門家と称する人々に対する一般の人々の考え方は大きく変わってきたのではないだろうか。最初は、恐れ多い立派な学者の言うことをその通り聞かなければならないと思っていた人も多いのだろうが、いまでは、専門家が何を言っても、日々の暮らしが大切と思う人が大多数だろう。学者の言うことに対する人々の見方がかなり批判的になってきたことは、よいことなのだと思う。では、その批判が他の「科学的な」事柄に向かうのかというと、そうでもない。スマホのテクノロジーに操られて「おすすめ」のものを買わされたり、ゲームにはまっていたりする人は多いだろう。気候変動を防ぐために節約をしなければならないと思っている人も多いかもしれない。電気自動車はエコと思い込んでいる人は大部分だろう。

批判の目を科学に向けるのも大事だが、そもそも、科学そのものが批判的な営みなのである。科学的な事実だからこうするのだというような話は本来おかしくて、科学に基づくなら、絶対真理などないはずなのである。「科学」や「科学技術」に囲まれた現代の生活の中で、本当に科学的な態度とは、科学的真理や科学技術と呼ばれるものを批判的に受け止め、疑いの目を向けることなのだと私は思う。その際、科学と技術を分けて考えたい。科学はどこまでも真理を追究する活動であって、宗教のように絶対的真理を与えるものではない。それに対して、技術は科学の知識を社会生活に利用するきわめて具体的な活動である。科学と社会が対峙するのではなく、途中に技術が入ることで、一般に科学と思われているものの多くが技術の問題、つまり、科学知識を実生活にうまく実装する方法の問題であると考える。コロナ対策の多くも技術であったが、その批判の矛先が科学全体へと向けられることもあった。それに対して、気候変動問題では危機感だけが政治的に煽られ、その根拠が科学にあるとされるのだが、やはりここでも技術を介在させて、科学知識をいかに現実社会での技術として実装していくのかという問題と捉えることが大切だと思う。

本書では、さまざまな科学的な問題について批判や疑いを表明することになるが、それは、科学は疑うべきもの、怪しいものだからなのではなく、批判的な態度こそが科学的だからなのである。この点は最初にはっきりさせておきたいと思う。これから述べていくことは、科学批判に見えるかもしれないが、そうではなく、科学的な態度の実践としてなのである。それを理解してもらった上で、いま世の中に蔓延する「科学的知識」や「科学技術」などに対する疑いの目をもつことを説明していきたい。主な話題としては、科学とは何かという問題と、コロナ禍での科学の問題、そして、気候変動における科学的な立場の問題などを扱っていく。

本書ではコロナ禍や気候変動などマスコミ的にはやりの内容を扱うことになるが、ただ単にはやりのテーマを並べたものと思われては困る。コロナ禍における科学、技術、社会の関係がなぜ気候変動においては違っているのかを議論する。筋がわかりにくいかもしれないので、最初に全体の道筋を提示しておきたい。

全体を通した筋は、社会における科学の役割に関する一般の誤解を指摘して、科学と技術と社会の複雑な関係を示すことである（図1）。(1)に示すように、多くの人々の見方としては、科学と社会は直接結びついている。課題があると科学技術がすぐに絶対的に正しい真理を与えてくれて、それを適切に利用すれば、社会における最適な政策を実現できるとみなされている。コロナ禍初期には専門家

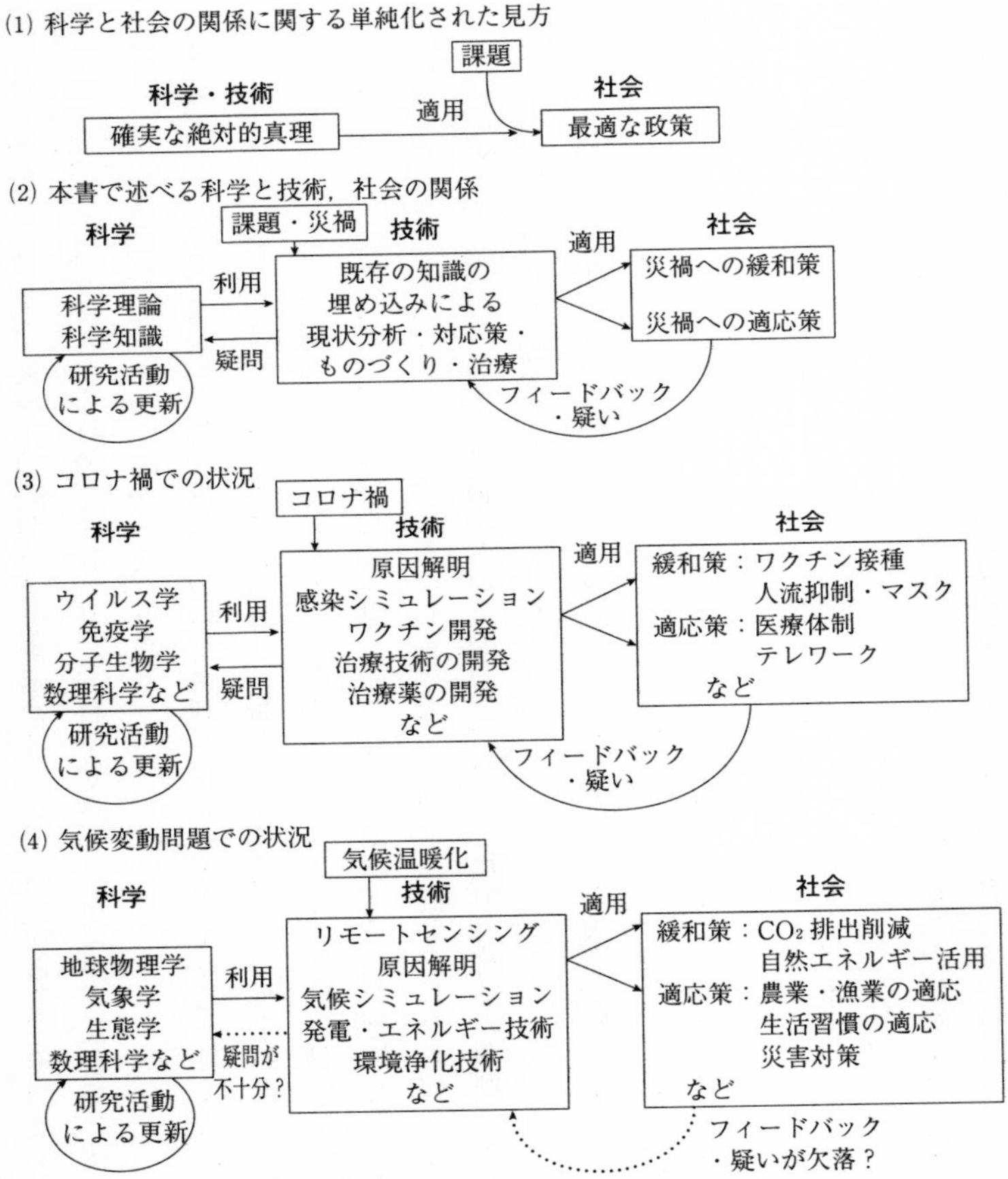

図 1　科学と技術、社会の関係

この図は本書で私が述べようとする内容を図示したもので、全体のまとめのようなものでもある。それぞれの枠内や矢印のところに書かれている文言については、本文のそれぞれの説明を参照していただきたい。厳密には、社会の部分には、政府と国民が含まれているので、両者の関係も考える必要があり、また、それぞれからの技術へのフィードバックも異なるが、ここではまとめて社会としている。

の発言はすべて真理と捉えられて、それがそのまま政策に反映されたものの、どうもうまくいかないこともわかり、専門家の予測もかなり外れることがわかってきた。

私が考える科学と社会の関係では、(2)に示すように、中間に技術が入る。科学と技術をしっかり区別する必要がある。科学は真理を求め続けて常に更新する研究活動であると考えると、絶対的真理の源泉とは考えられなくなる。技術は既存のさまざまな知識を利用して、当面の課題や災禍を解決する手段を考案する。現状を分析することも、当面の対応策を生み出すことも含み、さらにそれらに必要なものをつくることも、医学的な治療をすることも含む。社会では、いきなり解決策が出てくるのではなく、当面する課題の悪化を極力食い止める緩和策と現状で何とかやっていける適応策に分けて、いずれもできる範囲で考える。こうした策の実施状況は技術にフィードバックされ、また、技術からも科学活動にフィードバックがあるだろう。また、社会の構成員からの疑い・検証も行われる。こうして、(1)では科学と社会が直接対峙していてその関係も曖昧なのだが、(2)のように考えると、科学と技術と社会の三者の関係は複雑な絡み合いとなる。本書のタイトルにある「×」印の意味するところは双方向の複雑な関係とでも言えばよいだろうか。

本書で具体的に扱うコロナ禍(3)と気候変動問題(4)における科学、技術、社会の状況も、簡単に図に示しておいた。詳しくは本書のそれぞれの項で解説するが、ここで大切なことは、どちらの問題でも、科学的な知見がいきなり社会における政策になるはずがないことである。コロナ禍を経験した人々は、科学者とされる専門家の発言がどうも正しくないことがあることに気づいた。このままでは感染爆発になるといいながら、現実には、人流が多いまま感染者が減少していくことが何度もあった。マスクに効果があるのかどうかよくわからないまま、慣行となってしまった。新技術を使うことにより、短期間でワクチン開発ができ、そのワクチンの接種が推奨されたものの、ワクチンを接種しても感染することがあり、また、急ごしらえのワクチンには深刻な副作用もあった。感染の後遺症に到っては誰も予測していなかった。つまり、全く新しい病原体の出現に対して、すぐに使える科学的知識はごく限られていたのである。ただ、絶え間ない研究活動により、そのギャップは速やかに埋められていったことも事実である。また、人々の疑いや検証が常に機能していたことも重要な点である。科学を盲信しないのは大切だが、科学というものが全く信頼できないものでないことも確かである。

こうしたコロナ禍への反省に立ったとき、同じ批判的な態度が気候変動問題に向かうべきだと考えるのだが、どうもそうではなさそうだ。気候温暖化自体は起きているのだが、その原因を説明する科学的な理論はまだまだ不完全である。常に更新し続ける必要があるのは、コロナ禍における科学知識獲得活動と同じはずである。ところが、詳しいことはわからないままに危機感だけが煽られ、その一方で、二酸化炭素の排出さえ削減すればすべてが解決するというような安易な風潮はきわめて強い。それもほぼ、化石燃料の消費抑制だけがクローズアップされている。これは緩和策の一部となる可能性があるものの、それで気候がもとに戻るのかどうか、誰も保証できない。適応策にいたっては、ほとんど誰も真剣に考えていない。現実に気温の高い日が増えていても、クーラーを使って同じ生活をしようとするばかりである。気候変動問題は社会全体に関わるため、すでに多くの本が出ていて、気候変動をまるごと否定するものから、化石燃料消費をやめないのは罪悪だというくらいの論調のものまである。では、原子力ならよいのかは議論の的である。気候変動によって激甚災害が本当に増えているのだろうか。私たちは昔のことを知らないので、ごく最近のことだけで判断しがちである。わからないことは多い。たしかにこのように膨大な議論が行われ、そこには疑いや検証も含まれてはいるが、それが技術の現場や科学研究活動に反映されているかというと、かなり怪しい。温暖化対策と称する商品が氾濫するのは、商売の手段としてでしかなく、何が本当に意味のある対策なのかという検討は行われない。社会と科学、技術の関係はかなり複雑であるし、現在地球上で起きていることが本当に理解できているわけでもないので、もっと謙虚に、しかも真剣に状況を把握し、今できる対策として何が妥当なのか、よく考え直すことを訴えたい。

これが本書の概略であるが、それぞれの話題にはある程度専門的な内容も含まれる。できるだけやさしく解説したつもりだが、どのくらい意味が伝わるのか多少の不安は残る。私自身、これらの分野の狭い意味での専門家ではない。世の中には、科学者はそれぞれ自分が得意とする本当に狭い専門領域のことだけ発言すればよいと思っている人も多いかもしれない。しかしそれでは、科学と社会の関係は語れない。専門分野外のことでも幅広く理解して、他の人にわかりやすく説明する科学技術インタープリターというような仕事もある。私としては、全く門外漢というわけでもない分野の科学的な知識の使われ方について、できる限りの理解に基づいて幅広く議論することが、科学と社会の問題を考えるときには必要だと考えている。逆に、分野外の人に全く理解できないような専門知識があったとして、そうしたものは誰が評価するのか、そもそも意味があるのだろうかとも思う。本書はできるだけ分野間横断的な理解を進めながら、それぞれの細かい内容よりも、ここに述べたような批判的な態度をいかに持ち続けるかという全体的な姿勢を受け取ってほしいと思って執筆した。

コロナ禍と気候変動問題から考える　科学×技術×社会

目次

第Ⅱ部　コロナ禍をめぐる科学と社会の関係

序　章　発想を変える

——「科学 対 社会」から「科学×技術×社会」へ

まず、社会において科学がどのように捉えられているのかということから考えよう。そこで、読者の皆さんに問いかけたい。科学は「正しい」のだろうか。「科学」だけでなく、「科学的」という言葉はどのように使われているのだろうか。「正しいこと」の代わりとして使われていないだろうか。大方の使い方としては、「中身は難しいのでとりあえず置いておくものの、たぶん正しいこと」というくらいだろうか。科学的という言葉は、一般人も使うことがあるだろうし、専門家が使うこともある。政治家が使うこともある。食品や最新技術、あるいは大きな設備などに関わる安全性の問題などでしばしば出てくる。災害などでも科学的ということはしばしば問題になる。

「科学的」という言葉を使うとき、その言葉を使う人が科学を理解していることもあるだろうが、科学を単なる神秘的なマジックのようにしか思っていない人も多いだろう。別の言葉を使うなら、「合理的」または「論理的」というくらいの意味ではないだろうか。それでも多くの人の見方としては、科学は正しいもの、真理を表すもので、場合によっては、人々の行動の指針ともなるものであろうか。

「科学は正しいのか」という問題は、このところのコロナ禍でも繰り返し問題となってきた。専門家会議の分析や提言が何度となくテレビやマスコミで報道され、最初は「これは大変だ」と素直に言うことを聞いていた人々も、やがて、専門家の言うことも当たらないことがあることに気づきはじめた。ところが、いまでは、専門家自身も幅広い行動制限や感染者の全数把握に批判的になってきていて、言うことが前とずいぶん変わっていると感じる人々も多いことだろう。では、誰が正しいのか。どの意見が正しいのか。つまり、科学者や政治家や経済界の意見のどれが正しいのか。科学者にもいろいろな意見があり、時とともに言うことが変わってきているようでもある。一体何を信じたらよいのだろう。コロナ禍と言われるこの三年あまりの間、あるいはまだ続くのかもしれないが、新規感染者数は依然として結構な人数のままであるものの、行動制限もなくなり、何か吹っ切れたため、何が正しいかはどうでもよくて、自分だけとりあえず健康に生きていればいいという気持ちになっている人も多いのかもしれない。

この三年あまりの間に私たちは何を学んだのだろう。未知の感染症に対峙して戦ってきた医療関係者の方々のご苦労は並大抵のものではなく、こうした危機的状況で、自分の生活を犠牲にしながら患者のために尽くす人々の存在は、この社会の健全性を表しているのかもしれない。少なくとも、経済的にはあまりうまくいっていない日本の社会が、それでもモラル的にも現実的にも何とかやっていけるという証しなのかもしれない。そうした安堵感の一方で、平和な暮らしが感染症によっていきなり壊されてしまうことがありうることは、人々にとって大きな危機感を呼び起こしたはずである。それは、引き続いて起きたロシアによるウクライナ侵略という、これまたそれまでの平和な暮らしの中で考えられなかったことがいともたやすく起きてしまったということとも重なって、社会や人間生活の平和や安定が本当に脆弱な基盤の上に成り立っていることを実感させられる事態となった。政治家の言うことがあまり信用ならないことは、今までもうすうす感じていたにしても、さまざまな国のトップがそれぞれに自分の都合でいろいろなことを述べ、現実に軍事行動にまで踏み出すということを見ると、正義は国ごとに違うのか、何が正しいのかがわからないという気持ちにさせる。ところが、信頼できないのは政治家だけではない。科学や科学者の言うことがいつも正しいわけではなさそうだということにも人々は気づき始めた。

コロナ禍を経験した人々は、科学者の言うことに疑いを抱く力をつけたのは確かだろう。しかし、単なる全面否定のような疑いではなく、一つひとつの話に対して、その証拠や根拠を求めるという形での疑いが大切である。感染者数の推移を専門家は説明できていない。ワクチンの副作用も説明できていない。ひどい副作用のあるワクチンを何度も接種することの方が、実際に感染するよりもはるかに害が大きいのではないだろうか。mRNAワクチンはまだ実験段階だということが忘れられているようだ。

実は科学に対する疑いは、これまでに何度も浮上した。若い人は知らないかもしれないが、環境問題は今に始まったことではない、一九六〇年代から深刻化した公害問題は、それまでの高度成長による「いけいけ」ムードを払拭し、成長一辺倒ではいけないと同時に、科学技術にもしっかりとした監視の目を向けなければならないということを人々に強く印象づけた。工場が排出する化学物質による環境汚染、自動車の排気ガスによる大気汚染、食品に混入した有害物質による中毒事件の多発など、発展する工業社会の問題点が次々と浮き彫りにされた。いまでこそSDGsなどという体裁のよい表現もあるが、当時、環境汚染を告発したり排ガス規制を推進したりすることは、経済界と真っ向から対立し、文明や進歩を否定する危険思想と見なされたこともあった。同時に、科学技術が人間に有益なものなのかという疑問も表明されるようになった。

このところ国際政治の場でも大きな話題となっている核不拡散も歴史は長い。二〇世紀物理学の代表的な成果である量子論と相対論、それらをあわせた知識の一つの応用が原子力であり、また原子爆弾であった。戦後すぐにアインシュタインは反原爆の立場をとるようになり、核兵器廃絶と科学技術の平和利用を訴えたラッセル・アインシュタイン宣言が一九五五年に発表された。戦前の日本でも、京都大学の荒勝文策らを中心として、また、理化学研究所の仁科芳雄らを中心として原爆開発が進められていたが、それらは基礎研究の段階で終わり、戦後は、こうした研究に携わった多くの物理学者も原子力の平和利用へと舵を切った。京大で核物理研究にたずさわったものの、戦後はノーベル賞受賞者として核廃絶を主張した湯川秀樹のような学者も現れた。アメリカの占領政策により、日本では原子力は平和利用以外の研究は認められなかった。その一方、戦前の軍事研究に関わった原子核物理学者でも、戦後特におとがめを受けることもなく、そのまま新時代の物理学研究を続けることができたようである。一般人から見れば、この間まで自分でやっていたことを、風向きが変わったらさっさと否定するというご都合主義にも見えるのだが、さまざまな政治的な駆け引きの結果なのか、それともあまりにもひどい原爆被害の惨状に対する反省のためだったのかわからない。冷戦の中でも原爆反対の運動は広まっていった。世界の核拡散の事態は一向に改善しないものの、こうした運動が、近年の核禁止条約へとつながる流れになっている。ここでも、華々しい現代物理学の成果に対して、それが人類に貢献するのかという疑問が厳しく提示されている。

身近な話題からも、科学への疑問を見いだすことができる。スーパーで売っている豆腐の裏には「組換えでないダイズを使っている」ことがたいてい書かれているが、組換えＤＮＡ技術は今や日常のさまざまなところで利用されている。アメリカやオーストラリア、また中国では、組換え技術による品種改良でできた作物が大量に栽培されている。病害虫に強い作物や冷害の影響を受けにくい作物は生産性を飛躍的に向上させる役に立っているが、一方で、組換えＤＮＡの一部が食品に残存していることへの不信も根強く、日本やヨーロッパでは、組換え作物は一切受け入れられてこなかった。最近のゲノム編集作物は徐々に許容され始めているので、少し風向きが変わったかもしれない。対照的に、医療では、受精卵は別として、ヒトの細胞の遺伝子操作も利用されるようになった。iPS細胞もれっきとした遺伝子組換え細胞なのだが、こちらは大きな批判もなく実施されている。それでも新しい科学技術に対する不信の念は人々の中に根深くあり、奇妙なことに、組換え作物が容認されているアメリカでは進化論が否定される事態になっている。

科学は、今の社会では、合理的なもの、正しいものと同義語のようになっているのではないだろうか。合理的な考え方は科学的なもので、科学的なものは正しいというわけである。科学に対して批判的な人ももちろんいるだろう。その場合、反科学主義は非合理主義にもなる。合理的に説明はできないが、感情的には納得できないというようなことも多い。科学者の言うことに何となく不信感をもつということも多い。科学主義あるいは科学至上主義という言葉は、科学を批判するために使われる言葉であるが、それでも、自分は反科学主義だと明言する人は多くない。反合理主義を掲げて議論するのは論理矛盾でもある。

多くの場合、科学という言葉によって表される合理主義は、古典物理学による物理学至上主義の範囲でしか考えられていない。昔、ラプラスという数学者・哲学者は、すべての物質のデータを知るデーモン（ラプラスの悪魔）がいれば、これから世界で起きることは予測可能だと考えた。現実には、ある瞬間のすべての原子・分子の位置と運動量をすべて知ることなどできないのだが、仮にそれができた場合、因果的決定論に従う未来は予測可能であるという考え方である。今では量子論における不確定性原理が知られているものの、普通の世界については、多くの物理学者は今でもこのような感覚をもっているようである。つまり、そこで考慮するのは一つひとつの粒子の衝突といったミクロな因果関係であり、それを前提とすれば、あらゆる現象を決定論的に予測できると見なしている。科学哲学でもこうした議論がなされるのだが、多くの場合、話は非常に単純化されている。それに対して、こうした因果的決定論を受け入れない哲学者も多く、自分で反科学主義を掲げる人もいるだろうし、みずから明言しないものの、まわりからは反合理主義、反科学的・非科学的な考えと見なされている人もいる。

では、科学と非科学、合理的と反合理的はきれいに分割できるのだろうか。現代科学は多くの現実の現象が古典的な決定論では理解できないことをすでに明らかにしている。多数のものが集まって互いに関係をもって相互作用をしている場合、その集まりは時間的に変化していき、集まり全体として新たな姿を示すことは多い。それを創発と呼ぶこともある。もっとも身近なものとしては、雲もそうしたものである。雲をつくるプロセスは古典的な物理学・化学で記述でき、湿度をもった空気が上昇すると断熱膨張して冷却し、細かい水滴が形成されて雲になることは、中学校の理科などでも解説されている。しかし、現実にわれわれが暮らす頭の上の上空で、どのくらいの温度・湿度をもった空気がどのように流れているのかは簡単にはわからないので、どんな雲がわくのかもわからない。もちろん大変な設備を使って大がかりに調べれば、その時々の大気の状態の観測データが得られて、スーパーコンピュータを使って計算すると、この先どんな雲ができてどのように変化するかがわかることになっているが、それでも、天気予報で降水確率が表示されるように、未来の予測はあくまでも確率的なものに留まる。それは、気象現象がほんのわずかなことがきっかけで大きな変化が起きるという正のフィードバックを受けるためで、最初のきっかけとなる微小なゆらぎまでは把握できないし、予測もできない。一度生じた上昇気流はまわりの大気を呼び寄せることで自分を強めることがあり、そうした自己発展系の時間発展を予測するのは非常に難しい。それでも、現状が正確にわかっているとして、いろいろなゆらぎを想定した計算をすることにより、未来に起きうることがこの程度の範囲内に収まるということがわかると考えて、確率付きの天気予報が出されているわけである。

天気予報は科学的な知識を利用した身近な技術であり、確率的な予測ということもよく知られている。その場合、お天気は不確実なものであることを体験として知っているので、人々は確率を使うことを許容しているのだろう。しかし、他の多くの現象に対しては、古典的なミクロな因果関係による決定論が科学的な合理性を代表するものであると、依然として信じられている。感染症の拡がりの初期には、コンピュータシミュレーションによる感染拡大の予測が一人歩きして、これが科学者の予測であって、合理的なもの、絶対的に正しいものというように考えられたこともあった。いまではシミュレーションを取り上げるテレビ番組もなくなり、ほとんど誰も相手にしなくなった。科学による分析やコンピュータを使った計算は、ともすると絶対的な真理のように受け取られていて、それが外れた場合には、科学が役に立たないように評価される。しかしものごとはそんなに単純であるはずがない。科学でできることは何か、それは単に技術的に何ができるかということではなく、科学というものがそもそも何なのか、ということにかかってくる。

一般に数学者や科学者は頭がよいことになっていて、それは、何か一つのヒントだけからでも解答を導き出す能力をもつように見えるからであろう。たしかに、普通に知られている理科や数学の問題は、たった一つの条件だけで、結果の全体が変わるようになっていて、その唯一の手がかりを見つけられるかどうかが、問題を解く鍵になっている。しかし現実問題はそうではない。はじめから決まった正解があるわけではなく、複数の手がかりからだんだんと答えを絞り込んでいく。一つの条件だけで答えが決まるということはなく、一旦答えが出てからも、他の面からも検討を重ねる必要がある。本来、科学はこういうものである。技術も、製品を実際に使いながら問題点を見つけ、さらに改良していくものである。こうしたことは前著『科学哲学へのいざない』の中でも詳しく解説した。これに対して、学校の数学や理科の問題は、単純化された論理だけでできていて、現実世界の問題のお手本とはならないのだが、答えのない問題を学校で扱うわけにはいかない。試験の場合、答えが正しいか間違いかが明確に決められなければ不公正になる。そんなこともあって、学校教育では白か黒かという答えが明らかになるような単純化された問題だけが扱われるのだが、それが数学や科学が因果的決定論を表すという誤解を生んでいるのかも知れない。科学哲学でも、こうした問題はよく扱われるのだが、問題設定に使われる科学的説明もこうした単純化されたモデルを利用しているので、現実の科学には合っていないことも多い。

今の時代、単純な決定論を信じる科学者はいないだろうが、一般人には依然として科学が決定論と同義語のように思われているかもしれない。科学なら絶対に正しい、科学的予測は確実だ、などという考え方は、落ち着いて考えれば、そんなはずはないのだが、現実の問題に直面したときには、常に大きな障害となる。気候変動問題でも、温暖化のしくみは科学的に説明でき、わかる限りの条件を代入したコンピュータシミュレーションの結果は温暖化という現実を説明し、さらに将来の温暖化も予測している。それでも、人間の知識の及ばない複雑な気候変動が過去に起きていたこともわかり始めていて、いまの温暖化の原因が何であるかは簡単には結論できないという考え方もある。過去の地球の気温は10℃くらいの幅で変動してきたものの、ある程度の上限があって、ひどい高温になることはなかったこともわかってきた。他方、「今行動しなければ取り返しのつかないことになる」といった政治的煽動もまた活発である。それは科学的なのか非科学的なのか。人為的な二酸化炭素による温暖化という単純な因果論は素人にはわかりやすいが、科学は同時に、地球の気候がもっと複雑なものであることも示している。どの議論が科学的なのか非科学的なのか、合理的なのか反合理主義なのか、簡単に白黒つけられるものではない。

そうしたときに、科学的・非科学的、合理的・反合理的という区別は、科学的議論の中から出てくるわけではなく、そうしたレッテルを貼るのは、社会の側ではないのか。つまり政治的主張に対するお墨付きをもらうために科学を利用している、あるいは科学を批判しているのではないか。世の中の物事は多面的・多層的である。科学的な知識という階層もあるが、実際に何ができるのかという技術の階層、現実をどう判断するかという認識の階層、実際にどうするかを決める政治的な階層、政策を実現するために必要な費用や国民の負担をどうするのかという経済政策の階層、さまざまな階層の知識や判断が重なり合って、現実の世界の中で、科学と技術、政策が作用し合っている。

私は長年科学研究に携わってきて、科学のもつ深みというのか、不思議さを感じてきた。中学や高校の教育では、教わる内容は基本的に正しいことという前提だが、特に、数学や理科で教えられる内容は、論理的な説明とともに、絶対的な真理となる基本法則があって、世の中のあらゆることは、それらの法則で説明でき、理解できるという建前上の正当性の「見かけ」をまとっている。社会科の内容なら、時代とともに変化することもあるだろうし、国語で出てくる文章ならさまざまな解釈があることも想像がつく。それでも漢字の読み方や筆順などは絶対的なルールが決められている。学校で教えられる内容は多くの場合絶対的なもので、その通りに覚えなければならないし、疑ってもいけない。数学に関して議論になることはあまりなさそうだが、理科ともなると、日常生活に関係することが多く、実際、理科の教材の中でも、実生活で出てきそうな場面設定がしばしば見られる。

では実際に科学研究の現場ではどうなのか。さまざまな理論が提出されて、その真偽を議論することがしばしばある。予想を立てて実験をしても、その通りにならないことも多い。つまり、「現在つくり中」の科学は絶対的真実ではない。実際、さまざまな難病や感染症に対しても、有効な治療法が簡単には見つからないことも多い。新型コロナウイルスの実体がわかっても、実際にどうすればそれをなくすことができるか、有効な方法はすぐに出てこない。地球が温暖化しているといっても炭素消費を減らすという消極的な話ばかりで、有効な対策は見つからない。このように書くと、科学というのは社会の中で実際に利用する技術のことだろうかとも思われるかもしれない。そこも問題である。技術と科学を分けて考えるのが本書の立場である。社会の中での科学関連の多くの問題は、医療も含め、技術の問題である。

技術はなかなかうまくいかないこともあるかもしれないが、科学そのものは絶対的な真理や絶対に正しい法則なのだろうか。この点も考える必要がある。科学理論が時代とともに変遷してきたことは科学史の本に書かれている。トマス・クーンという学者はパラダイムが科学理論を支配しているなどと言って、科学理論はパラダイム次第でどうにでもなるかのように述べていた。その後、パラダイムという言葉は濫用されて、今や何でも表す言葉になってしまった。「現在つくり中」の科学理論は絶対真理とは言えないとして、理科で教えるような定説との間はどうなっているのだろう。研究が進むと、あるとき真理のラベルが貼られることで、真理が生まれるのだろうか。それとも科学理論の正しさにも連続的なグラデーションがあるのだろうか。

科学理論がうまく適用できてすぐに説明できる現象もあるだろうが、多くの現実の問題は、既製の科学理論をそのまま当てはめて答えが出るようなものではないかもしれない。そうしたときに、ちょっと知ったかぶりをした知識人が出てきて、もっともらしいことを言って、具体的な行動指針の提案をすることがある。昨今の新型コロナ感染症騒動の中では、そうした学者が何人も現れた。たぶん悪気はないのだろうが、他人の行動についてずいぶんと踏み込んだことを言った。多くの場合、自分独自の理論や計算に基づいて発言をしていて、一般の人々は、科学者というのは難しい理論を使って人々によくわからないことを言うものだと思ったに違いない。それが科学の営みの本来の姿であるはずがないのだが、世の中の誰もが混乱していたのだろう。最近では、マスコミもこの手の偽科学には引っかからなくなってきたのはよいことである。あえて偽科学と言わせてもらおう。偽科学については第I部で詳しく説明するが、ペテン師でないはずの科学者であっても、科学の使い方を間違えれば、偽科学になってしまうのである。そして、それがまた一般人の科学への不信を増幅してしまう。科学が大発展したように見えるこの世の中で、依然として科学に対する不信が渦巻くのは、科学と技術の区別の問題や科学に対する見方の違い、科学政策の進め方など、さまざまな問題に根ざしているように思われる。

本書の狙いは、科学に対する一般人のもつ疑問や不信が、主に科学技術に対するものであり、それは政策とも大いにかかわっていることを説明することである。一方で、それでは科学とは何なのか、人間生活には関係ないものなのか、科学は結局役に立つものではないのかなどを考える。私の考えでは、科学というのはそれ自体、疑う活動である。では、科学は真理を与えてくれないのだろうか。科学的真理の問題は単に科学の中だけでは収まらない。現代社会において、科学と技術が政策とも結びついて、真理や正義という概念自体を複雑なものにしていることを浮き彫りにしていく。そのために、まず、第Ⅰ部では現代社会の中で科学がどう考えられているのかから始める。科学と技術の区別について述べ、科学とはどんな知的営みなのかを説明する。第Ⅱ部では、コロナ禍における科学と技術、さらに政策との関係を述べる。第Ⅲ部では科学が現代社会に大きくかかわる問題である気候変動を取り上げ、科学と技術、政策の関係を考える。これら二つの問題は、前者は医学、後者は地球科学と、一見異なる分野の問題のように見えるが、そこで働いている科学・技術・政策の相互関係ダイナミクスには、比較対照できることもたくさんある。最後に終章では、全体を総括して、社会における科学と技術のありようをまとめることにする。

第Ⅰ部　科学とは疑い続ける活動である

第一章　日常生活の中の「科学」

使いすぎる「科学」

「科学」という言葉はどのように使われているだろうか。「科学的」のほうがよく使うかもしれない。「それは科学的でない」とか、「科学的に考えれば」など、ものごとが正しいか間違いかを一言で言い分けるときに使うことが多い。しかし、そこで前提となる「科学」とは何だろうか。英語では科学のことをサイエンスscienceという。そんなの誰でも知っているといわれるかもしれないが、なぜサイエンスというのか。この言葉は「知る」という意味のラテン語からできているので、本当は、知識というくらいの意味である。英語でもフランス語でも同じである。それがなぜ「科学」という言葉として翻訳されたのか、いろいろな考え方はあるのだが、日本にこの言葉が入ってきたときには、科学がすでに専門分野に分かれていて、そうした個別の分野に分かれた知識の総体として、「分かれている学問」という意味で、科学と呼んだという説を聞いたことがある。「科」というのは生物の分類でも「キク科」などと使うように、分かれているものを指すときに使われるので、この説はもっともらしく思える。では、サイエンスという言葉の輸入元である英米やフランスでは、サイエンスを個別科学の意味で使っているのかというと、そうでもない。結局は、日本で現在使われる科学の意味と同様、

「論理的で、ときとして数学を使い、それでも実験や観察に基づいて得られた知識の体系」を指している。サイエンスというとき、それは、近代以前にあった「非科学的な」知識群、たとえば、占星術や錬金術、あるいは地動説、アリストテレスの物理理論やガレノスの医学などの昔の学問の全体に対比されるものかもしれない。

しかし、こうした科学の歴史的背景は、日常語として使われる「科学」や「科学的」と結びついているだろうか。日常語では、「科学的」とは、単に「合理的」という程度の意味、ことによると、ただ単に「正しい」というだけの意味で使われているのではないだろうか。その場合、どちらかと言えば、その言葉を使っている「科学的な」話者は、多少なりとも、自分なりの学識を自慢しているのかもしれない。

一般人が知らない秘密知識としての「科学」

最近のテレビ番組では、科学者が何人もパネリストとして登壇して、さまざまな知識を披露するものがある。明石家さんまが司会を務めた「ほんまでっか」という番組があったが、そこには五、六名の科学者、脳科学者や心理学者、医者や、生物学者、物理学者なども登場する。その番組の趣旨は、あくまでもおもしろおかしい説を紹介することなので、その中身について真剣に真偽を議論するようなものではないのだが、それでも、それぞれのパネリストは、各自の専門分野における特別な知識、いうなれば「秘密知識」のようなものを開陳するのである。ドラえもんの「秘密道具」になぞらえて、このように呼んでみた。そうした場合、一般の視聴者は、それぞれの専門家の「秘密知識」には、ある程度の学問的裏付けがあるという前提で話をきくわけだが、そこで話題となっているテーマに対する適切な解答であるかどうか、本当はわからない。所ジョージが司会を務めた「所さん大変ですよ」というＮＨＫの番組でも、同じような専門家が出てきて、秘密知識を披露していた。この場合は科学的な話題とは限らないが、何名かの出演者はかぶっていた。その他、いくつかのクイズ番組も、かなり専門的な知識を出題している。

こうした場合、一般人が知らない秘密知識が科学の中身と見なされることが多いのだが、科学というのはそういうものなのだろうか。今の場合、秘密の知識といっても、当然、「理系的」な内容のものである。それは、自然界の現象や生物・人間の身体のつくりやしくみに関わるテーマということになる。たしかにこうしたことに関する専門的な知識は、日常生活で知らないことが多いだろうが、一方で、人々の関心も高い。そうした意味で、「秘密知識」たりうるということはできるだろう。ドラえもんの秘密道具も、のび太が想像もしないものでありながら、のび太のわがままをかなえるものだからである。

合理的な論理の代わりとしての「科学的」

「科学」の意味はこのように理解できたとしても、最初に問題とした「科学的」の意味として、こうした秘密知識は少し違うように思われる。やはり、「正しさ」が背景にあるように思う。「科学的に考えれば」というのは、「論理的に考えれば」または「合理的に考えれば」という意味だろう。「そんな考えは非科学的だ」というのは、「それは間違いだ」または「自分はそう思わない」というくらいの話だろう。では人々はなぜ「科学的」という言葉を使おうとするのか。それは自分とは別のところに正当性の根拠があることを装うためではないだろうか。単に合理的とか論理的と言うと、それは自分の考えだということがはっきりする。しかし、科学的というと、何か自分以外のところに根拠があって、それは自分がただ単に発言するよりももっともらしいように聞こえるということだろう。これが洋の東西を問わず、「科学的」が使われる理由かもしれない。

医者は科学者か――コロナ問題を語る「科学者」

「科学」と「科学的」はひとまずわかった。では「科学者」はどうか。この三年あまり、テレビのニュース番組やワイドショーでは、「科学者」と称する人々が出てきて、新型コロナに関するさまざまな発言を繰り返した。スタジオの出演者もその人たちを科学者と見なしていた。彼らは現実には医師や医学部教授がほとんどである。医者は科学者だろうか。たしかに理系の受験では医学部が一番難しいとされる。しかし、理系なら誰でも科学者なのだろうか。

医学部にも実はさまざまな専門がある。大きな分類でいうと、基礎と臨床に分かれる。看護学科をもつ医学部も多い。基礎に進むと、人体のしくみや働き、栄養学、病気の原因や病原菌の性質などを研究し、医学博士を目指す。直接診療に携わることは少ないようである。臨床に進んだ場合、具体的な病気の詳しい研究や治療法の研究も行うが、付属病院での診療にあたる。一般的に医者といわれる人々は臨床に進んだ人たちである。もちろん、基礎に進んでも医師免許はもっているわけだが、実際の診療に従事する場合としない場合があるだろう。医学部出身者でなくても、基礎の研究者や教授になる人は少なくない。

実際の診察や治療というのは、さまざまな医学的知識を必要とするものの、現実に目の前にいる患者が「私は何々病の患者です」という札を下げて来ているわけではないので、これまでの経験や知識をもとにして、どんな病気なのかを探っていく必要がある。さらにどんな治療をするのかは、その患者ごとにその病気だけでないさまざまな要因を考えて判断しなくてはならない。薬もどんな薬があうのかは、実際に服用してみなければわからない。このようにして、診療というのは、科学知識をつくる活動というよりは、科学知識を活用して現状を分析し、対策となるものをつくる技術に近いのではないかと思う。科学技術という言葉もよく使われるが、技術には技術としてのノウハウがあり、それは科学とは別の次元にある。だから、科学知識を使う技術であっても、「科学」ではないという言い方もできるだろう。医療もこれに似ている。経験を積んだ医師は、本に出ている知識以上のノウハウをさまざまな引き出しにしまっていて、その引き出しを上手に使うことで現実の患者に向き合っているのだと思う。

ところが、新しい病気に対する場合、いくら経験を積んだ医師でも手に負えないことがある。病原体を同定して、どんな細菌か、どんなウイルスかを決めるのは、どちらかと言えば基礎系の医学者であろう。その手続き自体は、病原体を単離して、そのゲノムの遺伝子配列を決める操作であるわけなので、どちらかと言えば、微生物学という科学の分野に属している。しかし、遺伝子配列がわかったところで、どんな病気を起こすのかがすぐにわかるわけでもない。その病原体が人体に入り、どんな悪さをするのかは、実際の患者を調べなければわからない。その場合は臨床医との共同作業が必要になる。さらに社会の中でその病原体がどのように感染し、拡がっていくのかについては、もっとわからないことになる。実際問題として、人々が集まっているところで、「はい、いま感染しました」ということを調べる手段はなく、保健所が奮闘してきたように、感染者の連鎖を追いかけていくほかはない。このあたりになると、公衆衛生学や疫学の領域になるが、やはり科学知識を得る作業というよりは、ノウハウに裏付けられた技術の色彩が濃いように思う。

記者会見やテレビ番組で感染状況を説明し、行動制限などについて説明する厚生労働省の専門家会議や分科会の人たちは、ほとんどが医師であったようだが、その場合、マスコミの人々は、彼らのことを「科学者」と呼び、彼らの説明内容を「科学的な知見」などと表現している。これも、学術的ではあるものの、科学とは異なるように思う。科学というのは、「観察される現象や実験事実に基づいて仮説をたて、それを検証する作業をする活動」を指すと私は考える。観察事実に基づいて自分なりの解釈をして、それに基づいて人々に提言をするのは科学ではない。どちらかというと、技術に近い。あるいは政治なのかもしれない。科学はできあがった知識ではなく、知識を生み出す活動であるはずだ。

第二章　科学と真理

科学知識は固定したものではない

落ち着いてはじめから考えてみよう。科学知識はどうやって得られるのだろうか。科学者が実験や観察を重ねて、そこから考えられる仮説に基づいて、さらに実験や観察を繰り返していき、妥当と考えられる仮説が正しいと認められるようになる。その場合、その科学者が行った実験の枠内ではその説が最終版であるが、長い歴史の中で、そうした活動は何度も繰り返されていて、少しずつ学説は書き換えられていく。ときには大きく書き換える事件も起きるかもしれない。科学革命などと呼ばれるよう大きな変化では、大幅な書き換えが行われる。それでも、皆さんは、中学や高校の理科で教わるような内容は絶対間違いのない学説でできているのではないか、と思うかもしれない。自分が学校に通っていたときに教わった内容が、一〇年くらいして、実は違っていたと言われたら困るだろうし、それなら、そもそも、学校で受けた試験の成績はどうなるのだという憤りも生まれるかもしれない。それでも理科の教科書の改訂が行われるたびに、結構な量の変更が行われている。たしかに、今まで正しかったことが間違いとされることは少ないかもしれないが、環境問題など、今まで何も語られなかった内容が付け加えられて、以前に書かれていたことと矛盾するというようなことはいくらも出てくる。

しかし、物理学などでは、ニュートンの運動法則やマックスウエルの電磁気学公式など、少なくとも古典力学の枠内で考える限り、もはや変更される可能性のなさそうな法則や公式がある。日常生活、特に、土木、建築や運送などの業務には、これらの法則だけで十分で、それが変更される可能性もなさそうである。もちろん、現場で働く人々の問題というよりも、そこで使われる機材や構造物の設計や運用を考える人たちの話である。それに対して、がんの発見技術やワクチンの製造方法の基礎となる科学知識は日々更新されている。物理学は進んでいて、生命科学は遅れているということなのだろうか。たしかにそういう表現もできなくはないが、物理学も最先端のところでは、新たな素粒子が発見されたりしている。重力のもとになるヒッグス粒子など、以前から予測はされていたものの、実験で実証されたのはつい最近のことであるし、それでも、門外漢から見ると、何がわかったのかさっぱりわからないし、ヒッグス粒子を知らなくても、重力があることはわかる。しかし、最先端の物理学の発見が日常生活に結びついていることもあって、たとえば、青色発光ダイオードなど、いまやクリスマスのイルミネーションには欠かせなくなっている。

科学知識はやはり日々進歩しているというか、変化していて、長い目で見れば、過去に正しかったことが、後に修正されることはありうると考えるべきだろう。というよりも、それが科学の現実の姿であり、あるべき姿でもあると思う。

絶対真理を謳う偽科学

一般の人々から見ると、だんだん変化するような知識では、私たちの暮らしを支える基本としてふさわしくないように思える。何か確固としたきちんとした法則や真理があって、それに基づいて生活が成り立つようにしてほしいはずである。新型コロナ問題でも、敵の正体がよくわからないことが問題となった。科学知識を総動員しても、新しいウイルスのことなど、容易にはわからないのである。多くの人々は科学の無力さを嘆き、誰にも頼れない空しさを悲しむことになった。もうそれにも慣れたかもしれない。以前にガルブレイスの『不確実性の時代』という経済の本がベストセラーとなった。それまでの確実に成長していく資本主義経済が終わり、恐慌、戦争、貧困、核の脅威など、これからは何が起きるかわからないというような話だったと思うが、今も問題は何も変わっていないばかりか、不確実性はますます膨らみ続けている。経済は自然科学とは違うというかもしれないが、いまや計量経済学などといって、コンピュータシミュレーションを使った数学的な経済学がある程度の答えを出せるようになってきた。その意味では経済学も応用数学の一部となりつつあるのかもしれない。それなら確実な未来を描くことができるのではないか、と思われるかもしれないが、複雑系といわれる多数の変数を含む計算では、正のフィードバックによって、爆発的な現象が起こりうるので、簡単には未来の予測はできない。つまり、あることが少し進むとそれを加速する事象が加わって、どんどん一つの方向に突き進んでしまうわけである。同様のことは気象の予測などでもあって、豪雨の予測が難しいのは局地的なフィードバックを計算するのが難しいからである。

こうした不確実な時代に、何か確実なものにすがりたいという気持ちは誰しもあるだろう。大病を患った人が宗教に救われたということもよく聞く話である。宗教を信じたことで本当に救われるのかはわからないが、信じたけれども死んでしまったという話は残らないわけなので、信じたことによって救われたという話しか表に出てこないのであろう。宗教の秘蹟とは違うが、日常のさまざまなことで、科学を装いながら、誤った知識を広めている活動も多い。最近問題となっているSNSにおけるデマ情報もそうしたものであろう。その特徴は、現実世界の何らかの問題に関して、究極的な原因を特定し、すべてそれが原因であると述べることである。ある根本的な真理を前提とすると、物事の解釈が単純化され、明確な行動指針が生まれる。コロナ禍を通じて流布している代表的なものは、新型コロナ騒動は本当はウソで、政府がつくり上げた国民をだますキャンペーンであるというもので、それによって政府は国民の自由を奪い、世の中を好き勝手に動かそうとしているのだそうだ。

どういうものを偽科学（疑似科学）と呼ぶのか、明確な基準はないようだが、伊勢田哲治氏の『疑似科学と科学の哲学』では、創造科学、占星術、超心理学、代替医療などが挙げられている。創造科学とは、ダーウィンの進化論に反対して、生物はすべて神が創造したもので、進化するものではないという、アメリカで盛んな運動のことである。占星術は、天体の運動と人間の運命がどこかで結びついていて、星を見ることで人間の運勢もわかるという昔からある考え方である。超心理学は超能力、つまり、透視・テレパシー・予知などの特殊な能力や念力のような能力などを扱う。代替医療は近代医学とは異なるさまざまな治療法の総称として使われる言葉で、全体的な視点や精神力のようなものを強調する特徴があるそうだ。こうしたものに共通しているのは、何か確固たる根本的な考え方があって、それが真理であり、それに基づいて他のものごとを解釈し、治療などを実践するということである。創造科学と呼ばれる理由は、普通の科学と同列のものとしたいという運動家の勝手な命名によるものだが、基本は聖書に忠実な理解に基づいて他のことを解釈するという原理主義で、実際には、聖書にわずかな記述しかない諸生物の起源について、あらゆる生物種が別々に神によって創造されたと読み、それに基づいて、人間は類人猿から進化したものではなく、人間はサルではないという主張をする。サルだっていいじゃないかと思うのだが、そのあたりの気持ちはよくわからない。端から見ると、神が人間をサルから作ったとしてもよいし、進化するように作ったと考えても創世記の短い記述と明確な矛盾があるとは思えない。偽科学はそれぞれに何かこだわりがあり、それを絶対的なものとして守ることで、日常生活を安心して送ることができるという特徴がある。科学はそうではなく、知識は常に更新されていくもので、詳しく調べると、いままでわからなかったことがわかってくる。ある意味、不確実なものであって、今現在の科学知識が絶対的な頼りにならないようにも思えてしまう。

科学を絶対真理にしてしまう理科教育

偽科学を考えたとき、それでは理科の教育はどうなのだろう。理科で教えられることは、基本的に全部真理であり、きちんと覚えなければならない。問題には答えがあって、それも唯一の正解があるはずだ。試験問題は公正さが大切で、不確実な問題は出せない。当然、確実にこれと言える正解がなければならない。もちろん記述式もあるが、その場合も、重要なキーワードが与えられていたり、答え方の道筋が与えられていたり、ということもある。計算問題に至っては、小数点以下何桁などと指定することで、正解が一つになるように限定されている。

こういう教育を受けた生徒たちは、大学に入ると面食らうことも多い。物理学などならまだ法則を覚えてうまく適用すればよいのが普通だが、生命科学などでは、解答が一通りとは限らないことがある。答え方の指針も与えられていなくて、自分で考えなければならないこともある。確実に頼りにすることのできる原理や法則が明確でないこともある。私は『演習で学ぶ生命科学』の編集に携わり、計算問題を通じて生命科学の基本を学んでほしいと思って授業をしていた。ところが、最初に原理・法則を教えてもらってそれを適用して計算問題を解くということを当然と思っている学生からは、こんなの変だという感想があった。しかし、現実の科学というのは、実際に計算をしながら真理を求めていくものだと思う。最初に真理が与えられて、その応用問題ですべて解決するのなら、ものごとは簡単である。

研究室に入って、実験を始めた学生の中にも、当初目的とした結果が得られないと、実験がおかしい、間違いだったなどという者がときどきいる。先生に言われて実験をしたのに、先生の言った通りにならないといって、文句を言う学生は少なからずいるようだ。研究室で行う実験は、新しいことを調べるためのものなので、当初予想した結果が出るとは限らないのだが、決まった結果が出る学生実習しか経験していない学生にとっては驚きなのだろう。先生の指導が悪いから自分がいい結果を出せなかったと言って怒ることすらある。確実な答えがあるという前提で勉強をしてきた学生にとって、未知の世界に飛び込んだ驚きの表現なのだろう。

現実世界の科学的問題は答えがあるとは限らない

大学だけではない。世の中にある問題の多くは、予め決められた解答があるわけではない。経済や社会の問題はもちろんのこと、理系的な問題でも同じである。感染対策、環境や安全性の問題などさまざまな問題がある。もちろん理系的とはいっても、当然、人権、採算や効率、規制なども絡んでくるので、経済や社会・政治の問題とも無関係ではなく、だからこそ、解釈が難しくなるのである。それでも現実の問題は解決していく必要がある。それには、手持ちの知識を最大限活用するほかはない。場合によっては新たな理論を開発することが必要かもしれない。少なくとも確実に言えるのは、何か既存の価値観に頼ることで、目の前の問題が解決することはないということだ。お隣の国では、何でも共産党の指導のもとに実現できるとされている。思想としての共産主義とはおそらく無縁のこうした安直な専制主義が生まれたのも、大きな国をまとめるには、内発的ではなく、外側・上側から枠をはめるしくみが必要だったのかもしれない。確実に頼れるものがあると、多くの国民は安心するようだ。それは日本の政治でも似ている。今の政府に任せておけば安心という風潮は根強い。

すでに述べたことを、少し言葉を換えて表現すると、科学は常に改善を続ける知的活動である。これで完結ということはなく、これが絶対真理というものもない。ただ、真理を求めるための手段・手続きが与えられているだけである。わからないことがあれば、探求を続けるほかはない。言い換えれば、常に疑い続ける活動である。しかし、その場合、手持ちの知識をできるだけ活かすことも大切であるし、疑うことは否定することではない。このあたり、結構難しい微妙な感覚が求められる。

科学や科学者は頼りにならないのか

そうなると、科学は役に立たないのか、頼りにならないのか、という疑問が出てくる。現実に、新型コロナ問題では科学知識がほとんど役にたたないという状況になった。やがて、病原体が新種のコロナウイルスであることがわかり、肺やその他の臓器に感染することもわかってきた。ワクチンについても、mRNAワクチンという、これまで技術は開発されていたものの、実用化されていなかった方法で速やかに開発された。やはり、やれることはいろいろあって、それは既存の科学知識に基づいて考えられている。同時に、世界中の科学者がこのウイルスの研究を始めて、二〇二〇年からの三年間に膨大な数の論文が公表されている。いわば世界中で、世界中の人々を巻き込んで、このたった一種類のウイルスが引き起こす病気に関する大実験が行われてきたとも言える。もちろん、感染により命を落とした方々も数多いが、それが無駄死にとならないためにも、多くの研究が続けられている。

つまり、科学は頼りになるのだ。ただ、ドラえもんの秘密道具のごとく、いきなり取り出して使える「秘密知識」があるわけではない。いまある知識を更新し、改善していく活動が科学だと考えれば、これほど頼もしいものもない。その場その場で必要となる新たな知識を、少し時間はかかるものの、その都度、つくり出すことができると期待される。必ずつくり出せるかはわからないが、何らかの答えは生み出せるだろう。もちろん、「何もできることはない」という答えもありうるのだが、さまざまな面から研究が行われるわけなので、全くないということもなかろう。

一方で、この三年あまりの間に私たちが感じたように、科学者が発言をしても、それが科学的な発言とは限らないことにも注意しなければならない。科学者も人間である。勝手な思い込みもある。自分の研究結果をただ単に自慢したい人もいる。その場合、科学者のコミュニティがしっかりと機能することが大切である。相互にチェックをし、何が妥当なのか、不適切な発表はないか、さまざまな観点から確認していくことも科学の活動である。ここでも疑うことが科学の本質である。

第三章　科学と技術は別のものと考える

知識を追求する科学とものづくりとしての技術

世間で「科学」と表現されているものを考えてみると、「理論的な科学」と「ものをつくる技術としての科学」があるように思う。また、「現状を分析する技術としての科学」や「これからのことを予測する技術としての科学」などもあるだろう。中学や高校の理科の教科書に書かれている事柄は、だいたい、言葉の定義や、ものや概念の分類、さらに基本的な法則である。その基本的な法則を利用して、計算問題が与えられる。一言で言ってしまえば、理論的なことばかりである。理論と呼ぶほど難しいことではないかもしれないが、それでも理論であろう。最近は、実験課題などもたくさん収録されているようだが、説明した理論を確認するためのものか、あるいは、実験結果を基にして理論を理解させようとするためのものである。最近では、現実の世の中で使われている技術もある程度説明されているようだが、あくまでも元になる原理の応用の例として挙げられているだけで、その技術の詳しい説明ということではない。

一方で、上に挙げたように、技術は科学技術という形で、科学と一体のもののようにして扱われることが多い。科学と言われるもののかなりのものが私の言い方では技術と考えられる。技術はもともとと科学とは別物で、生活に必要なものをつくることから始まった。二〇世紀半ばまでのものづくりは、木材か金属、石材を使うものがほとんどで、それぞれの加工技術は、長い歴史の中で育まれてきたものである。ガラスももとは鉱物である。こうした場合、材料の加工技術には、今から見れば、さまざまな科学知識が活かされているように見えることも多いが、それでも、知識から技術ができたのではなく、技術の中でノウハウが培われてきたというべきである。

科学と技術の関係は単純ではなく、科学知識が理論として発展してきた分野もあれば、技術的な進歩の説明として科学理論が生み出されたような分野も考えられる。たとえば、有名な遺伝学に関するメンデルの法則は、メンデル自身の研究としては非常に理論的なものであったと考えられるものの、植物の交雑を行い、そこに法則性を見いだすという考えは、当時盛んに行われた園芸品種の改良の実践の中に位置づけられる。品種改良は作物でも家畜でも幅広く行われていて、その中で使われる人為選択が、ダーウィンの自然選択説のアイディアの元にもなっていったわけである。対象となる生物材料とさまざまに格闘する実用的な研究の中から、一方では、健全な生物材料の育て方に加えて、生殖のしくみの解明を通じた人為交雑など、役に立つ育種技術も生み出され、他方では、遺伝法則や進化理論などの科学理論も生み出されるきっかけを与えることとなった。そのため、科学と技術を完全に分離してしまうことは難しいと思われるかもしれない。しかし、科学と技術の営みは、少なくとも現代においては、かなり異なると考えられる。

未来に真理を求める科学と、既存の知識を埋め込む技術

科学が真理を与えてくれるということは、誰しも期待することであるし、実際、学校教育で教わる理科の内容は、ほぼ真理といってよいのだろう。それに対して、実際の研究活動の現場では、さまざまな説が新たな実験や観察によって検討され、何が正しいことなのかを議論している。すでに述べたように、科学研究の先端では、ひとまず確定した知識とそれほど確実でない知識が混在し、何が正しいことなのかを判断する作業が続けられている。そのため、私は「科学は未来に真理がある」と表現することにしている。これは現在の科学知識が間違いだらけだということではなく、知識それぞれに、どういう根拠でその知識が得られたのかという信頼度の違いがあること、それでも、新たな発見によって今までの常識が覆される可能性が常にあることを認めなければ、科学とはつきあえないということを意味している。科学の本質には、既存の知識や実験結果を批判的に吟味する営みがあるということである。

これに対して、技術では、既存のできるだけ確実そうな知識を埋め込んで、ものをつくる。何か使えるものができなければならない。その場合、科学知識だけでなく、数学や心理学などのさまざまな知識も動員される。もちろん経済性も重要な指標となる。道具の使いやすさには、色や形が与える心理的効果なども大切だろう。技術という言葉を少し広く考えれば、具体的な物体を作る場合に限らず、現状を分析してそこで起きていることを分析することなど、景気の分析のような理論的なものもありうる。現状分析に基づいて将来を予測する天気予報のようなものもある。普通は技術と言わないかもしれないが、医療でも、目の前の患者の病態を総合的に判断して、原因をつきとめ、必要な治療を施

す。機械の故障が起きたときに、原因を特定して対処するのと似ているのだが、本質的に異なるのは、機械は人間が設計したもので、基本的にはその動作原理がはっきりしているため、故障に対してもほぼ確実な原因がわかる点だ。もちろん全く未知の現象が発生している可能性も否定はできないが。それに対して、人体のしくみは、どれだけ医学研究が進んでも、科学知識として依然わからない部分は残るので、病気の原因を特定することも容易ではない。感染症ならば外来性因子が原因なのはわかっているようだが、病原体が特定されても、実際の病状を改善するにはさまざまなノウハウが必要で、その部分は科学というよりも経験に基づく技術の面が大きい。がんに関しても、「何がん」という種類は特定できるようになったが、それを治療するには抗がん剤や放射線をはじめとしてあらゆる手段が動員される。これは多分に経験的な技術の領域である。そもそも一人ひとりの病態がすべて異なるわけなので、一般的な知識だけで対処できるはずがなく、付加的なノウハウが必要になる。

科学と技術の違いを端的に表す特徴として、科学における真理は一通りの筋書きだが、技術における答えには複数のやり方があることが多い点を挙げることもできる。科学の理論において、こうかもしれないし、ああかもしれないということは許されない。複数の可能性があったとしても、そのどちらかを決めるための努力をする。また、一つのことについて、複数の理論があるということは、普通はない。経済学などでは、同じことをマクロの立場からみたりミクロの立場からみたりするというようなことがありうるかもしれない。同様に、生物関連分野でも、一つの遺伝子の働きをミクロなメカニズムから理解する場合と、その生物の生存にとってどのように有利であるかという進化的な意義を議論する場合があるが、これは、一つの遺伝子ということ自体は確定した上での考え方の広がりを示していて、真理が二つあるということではない。それに対して、ものづくりでは、たとえば人を乗せて移動できる道具をつくるときに、それが自動車だったり、列車だったりし、さらに自動車にもガソリン車や電気自動車、ハイブリッド車があり、列車にも蒸気機関車、電気機関車、電車、ディーゼル車などさまざまなものがある。空を飛ぶ乗り物にも、ヘリコプターや飛行機、さらに最近ではドローンを大きくしたような空飛ぶ自動車もある。ものづくりではほぼ同様のことを実現するさまざまな方法があり、その優劣は細かい目的や採算などによってきまる。時と場合により、どれが一番よいかは変わってくる。医療でも同じである。一人の患者を治療する方法はさまざまな可能性があり得て、個別の患者の状況に応じてどれを採用するのかが変わってくると思われる。未来予測には、当然、さまざまな可能性が併存するだろう。現状分析に関しても、唯一の答が簡単に与えられるわけではなく、さまざまな答が併記されるかもしれない。

複数解答という技術の特徴をよく表す例を挙げてみよう。現実にものをつくったり、現状分析したり、未来予測をしたり、病気を治療したりする活動は、たしかに科学知識も利用するが、その他に、長年の経験に依存している部分が多いことは述べた。それに加えて、「後出しじゃんけん」のような別の要素が急に加わることもある。自動車の規制を考えてみると、かつての公害問題では、大気汚染を防ぐために、排ガス規制がもうけられた。ところが、現在の環境問題はむしろ二酸化炭素そのものの排出が問題になってきて、電気自動車がクローズアップされている。人が乗って運転する車両という点では何でもよさそうだが、最初は、採算性からガソリンエンジンで動く車が作られ、その後、燃焼性能や排ガス処理などの改良が加えられたものの、結局は、電気で動く車という全く新しいものに移行する状況になっている。それでも採算は重要で、高性能で安価なバッテリーの開発が急がれている。ものづくりでは、そもそも製品を実現する方法は多数の可能性がある。一度使える製品ができても、その後から、さまざまな制約が加わってくることにより、根本的な設計を変更せざるを得なくなることは多い。そのため、その都度、根本に戻って設計をやり直し、これまでとは別の科学知識を埋め込むことになる。科学知識の体系自体は時代によって大きく変更されることはないかもしれないが、それを利用してつくられる製品は、社会的な条件の変化に応じてさまざまに変化していくことが必要とされる。

医療でも、今までなかった感染症に対応する治療法の開発が必要になることもあるし、新たに使えるようになった技術を活用することで、治療法の幅が拡がることもある。一方で、倫理観の変化などにより、社会的な要請が変化することもある。社会における科学の問題といわれるものの大部分は、こうした、技術的な面での知識の埋め込み方の問題ではないかと思われる。現在の科学技術社会論などでは、何でも科学と表現しているが、そのあたりの整理がついていないように思う。

トンガの「津波」における科学と技術の役割

一つ例を挙げてみよう。二〇二二年一月に、南太平洋の島国であるトンガ諸島で海底火山が大噴火を起こし、その影響で津波が発生して、太平洋岸の各国の海岸に押し寄せ、大きな被害をもたらした。そのとき、日本の気象庁は、はじめ、多少の潮位の変動はあるかもしれないが、大きな津波が来ることはないとしていた。ところが、夜になって、実際に1メートルを超える潮位の上昇が観測されると、急遽、全国の海岸に津波注意報や津波警報を発出した。そのため、沿岸部の鉄道が運行を停止し、その影響で、大学共通テストの実施にも大きな影響があった。その後の気象庁の会見を聞いていると、これはこれまでに観測されたことのない新しい種類の現象で、津波と呼べるかどうかわからないなどと繰り返していた。この言明の意味するところは、通常の津波ならば、途中の地点でも海面上昇が観測されるはずで、それが見られなかったのに、震源から遠く離れた日本や北米・南米の海岸には予想外の大きさの津波が来たのは不思議だということであった。その後の研究により、これは空気の振動が伝わったためであることがわかってきている。気象庁の役目は元来、社会に対する危険予測の発出や観測情報の提供であるので、主に技術に属する仕事と考えられる。これに対して、地震や津波の専門家という研究者は、どちらかと言えば、理論的な仕事をしている。今回の場合、気象庁の発言は観測された事象が全く新しいものであるという科学的な面に関わるものに留まり、現実に津波が来る前に警告を発することができなかったという現実的な面での失敗に対する言い訳のように思われた。

実際、大きな自然現象や事故があったときに、専門家としてマスコミで発言を求められる学者は、主に科学的な側面を解説し、そのことが現実に社会的な問題となる理由についてはあまりふれない。大地震のときには、何々プレートが別のプレートとぶつかってと言うような話をするが、それだけでは、なぜ今その特定の場所で大地震が起きるのかを説明できないし、それによって実際にどこでどのくらいの揺れが起きるか、どんな被害がもたらされるのかなどがわかるわけではない。現実には、地下の構造によって地震波の伝わり方は異なるようだし、軟弱地盤では揺れが大きくなり、また、地盤の流動化なども起きる。しかし、そうした情報は、地震の専門家という人々にとっては個別の問題であるようで、普通は話題にならない。むしろ、地域の防災の問題として、自治体の現場に投げられてしまう。たしかに、あらゆる災害を考えて、絶対に安全な場所に住むことができればよいかもしれないが、それが生活に便利な場所とは限らない。誰もが安全な場所だけに住むということは難しいだろうし、鉄道や道路などの交通網や、通信やその他のインフラのすべてが絶対に安全な土地だけを通ってつくられることなどありえない。こうした状況の中で、大地震があると、専門家は地震そのものの説明はするが、人々に直接関わる問題に対しての説明は見えてこない。そのため、理論としての科学知識と日常生活が直結したような印象を与える。一方で、天災か人災かという議論もしばしば行われる。つまり、同じように天災が起きても、被害を拡大させる要因には人間の活動、たとえば、インフラ整備や避難誘導のしくみ、日常の備えなども関わってくる。こうした人間の側で何とかできるかもしれない部分がうまくできていなかったときに、人災という表現も使われる。天災の部分の説明は科学的な説明でよいかもしれないが、人災の部分には技術的な面、政治的な面がある。

再びトンガ大噴火に戻ると、専門家は大噴火そのものや津波のしくみに関する説明に終始して、現実の暮らしに関わる部分について、不十分な対応に留まり、それが被害を引き起こしたことになる。一般の人々から見ると、専門家が科学的な説明だけにこだわることにより、科学は無力であるとか、科学がきちんと対応しなかったなどと感じることになる。自然災害に関しては、技術や政策の問題を科学とは区別して、しっかり考える必要がある。これは後で述べる気候変動について考える手がかりともなる。

第四章　「科学」の使い方を改める

はじめからだますつもりなのは論外として…

科学という言葉が曖昧で、主に技術の代わりに使われることが多いということをこれまで述べてきた。一方で、「科学的に」説明するというような場合、実際には、科学がどういうものであるかは関係なくて、「論理的に」または「合理的に」説明する、あるいは「筋の通った」説明をするというくらいの意味で使われていることも指摘した。いずれにしても、自分の正しさを強調し、相手を信用させる言葉遣いである。そうなると、当然、悪い人もいるわけで、ちょっと専門的な言葉を使うことによって相手を煙にまいたり、知ったかぶりをして相手に言うことを聞かせたり、などということも起きてくる。中には、はじめから相手をだますつもりで「科学的」と主張することもあるかもしれないが、むしろ、ここで問題としたいのは、本人は善意のつもり、あるいは自分は正しいことを述べているつもりで、「科学的に」説明しようとしているものの、それが不適切な科学の使い方になるというような場合である。順に考えていこう。

統計や写真のトリックと科学研究の不正

少し前に、人工的に細胞を初期化できるとする「ＳＴＡＰ細胞」なるものが話題となったことがある。そのときに問題となったことは、ＳＴＡＰ細胞自体がおそらく間違いだということだけでなく、論文の中で示していた写真がにせものだったり、改ざんされたものだったりしたことである。実際、科学論文では、実験データを写真で示すことが多く、その場合に、悪意はなくても、「ここを見てほしい」という部分を強調することはありうる。写真の編集ソフトを利用すれば、部分的にコントラストを変えて、見せたいものだけを見せて、見えない方がよいものを消してしまうことすら容易にできる。しかも、こうした改ざんをしたことがすぐにわからないように、継ぎ目を巧妙にぼかすなどの処理もできる。スナップ写真で顔の形や目鼻を自由にレタッチできるのと似ている。なお、ＳＴＡＰ細胞のように化学的な刺激をうまく与えることで細胞の初期化ができる可能性を示す論文は、その後も出ているので、この考えが全く誤りであったかどうか、まだ断言はできないことを付け加えておきたい。

これまでに不正が発覚した論文の例を振り返ってみると、最初は真面目に論文を書いていて、その中で新しい発見を報告したとしても、続報をいくつも続けて出していかないと世界のトップクラスのレースで常に先頭を切っていくことができない。そのため、「おそらくこうに違いない」と研究者が信じる方向の研究を進めていく際に、文句のないデータをたくさん並べられればよいが、「どうしてもここだけは思ったようにならない」ということも出てくる。そこで立ち止まってもう一度全体を考え直すのが科学者の態度だろう。しかし、レースのトップを走り続けるという焦りがあると、自分の仮説がおそらく正しくて、実験がどうしても予想する結果にならないのは技術的な問題かもしれないと勝手に解釈して、予想されるとおりの実験データをつくってしまうらしい。よく似た実験の写真を流用して少し手を加えれば、思い通りのデータはつくれてしまう。

実は、こうした問題の指摘は今に始まったことではない。有名なメンデルの法則を発見したメンデルの交配実験では、データがきれいすぎるとして問題視されたことがあった。メンデルの法則に関しては、さまざまな生物で何度も検証されていて、中身は間違いないのだが、最初にメンデルが報告した実験データはねつ造だったのではないか、そこまでいかなくとも、自分に都合のよい数え方をしていたのではないか、などということが、有名な統計学者によって問題とされた。メンデルの時代はまだ統計学という学問自体がなかったので、平均値や標準偏差を求めるという考え方はなく、できるだけ多くの数のマメを調べてデータにすることが、信頼性の高いデータの示し方だった。雑種第二代で３：１の分離比が得られるという場合、莢を集めてマメの色や形を調べ、数えていくわけだが、その際に、いくつ数えれば十分という基準があるわけではない。そのため、ある程度の数を調べたときに、たまたま３：１に近い比率になれば、そこでやめてしまうということは考えられる。これは意図的な改ざんとは言えないにしても、作為的なやり方ということはできる。こうしたことは、現実生活の中ではありふれたことかもしれないが、自然科学の法則を打ち立てる場面では、厳密に扱う必要がある。現在では統計的な有意差を検定するのだが、メンデルの時代にそういうことはできなかったので、できるだけ多くのマメを数えるしかなかった。現在の科学史の見方としては、メンデルが意図的に作為を加えたということは考えにくく、それでも、自分が考える理論とうまく一致する数字が得られた場合にそれを採用したというくらいであろう。メンデルはかなり真面目に、今ならやらない雑種第六代くらいまでの実験をやっていたので、ごまかそうという意図があったとは考えにくく、やれるだけの実験をやって、それで結果をまとめたものと見られる。いずれにしても、メンデルの実験は、その後に多数の検証があるので、結局は問題とならない。

ＳＴＡＰ細胞の場合、世界中の学者が検証を試みたが、うまくいかなかった。しかもその検証過程で、元の論文の不正が次々と発覚してしまった。これに類した話はたくさんあって、一時はかなり有名になった学者の研究成果がねつ造として否定されたという例は、物理学でも生物学でも枚挙にいとまがない。データの改ざんや統計の不正はその場合、常套手段である。

現実世界は数学的論理では説明できない

自然科学の基礎に数学があると主張する数学者は多い。そうだろうか。数学は論理の学問である。はじめにいくつかの前提をおいて、それから導かれる命題の体系を構築する。われわれが普通に考える数学は現実世界で利用できる「普通の数学」である。たとえば、ユークリッドの幾何学（中学の数学で教わる三角形や円の性質など）のように、身の回りにある図形の性質を合理的に説明してくれる。私自身もあまり詳しく知っているわけではないが、数学には、現実に当てはまるのかどうかよくわからないものもある。球面幾何学くらいだと、普通の平面幾何学の定理が少し変わるくらいで対応できるし、実際に球面上の事象を理解できる。たとえば、平面幾何学の直線が、球面幾何学なら円周になるが、そうすることで、外国に飛ぶ飛行機の航路などが理解できる。しかし、もっと現実を離れた抽象的な数学もあるようだ。そもそも現実世界は三次元で、それに時間を加えても四次元でしかない。しかし、数学では、もっと次数の高い世界で成り立つ法則も考えられる。それが現実世界と全く関係ないのかというと、物理学のひも理論などという学問分野では、高次元の「ひも」によって、現実の世界の成り立ちを考えることができるそうだ。たしかに、三次元世界の裏には実は多次元世界があって、その氷山の一角として現実の三次元世界が現れていると考えると、空想が拡がっておもしろい。ただ、目の前の生活に役立つ感じはしない。

こういうこととは別に、数学が本当に自然科学の基礎にあるのかという疑問を考える理由がある。数学は論理の体系なので、一種の論理学と考えられる。普通に知られている論理は、「AならばBで、BならばCであるとき、AならばCである」というたぐいの論理法則である。高校の数学でもこうした初歩的な論理は教えられている。「AならばBである」とき、Aであれば、Bが成り立つ。これを演繹と呼ぶ。では、「AならばBである」とき、Bならば何かいえるだろうか。普通の論理学では、このとき、「BならばA」は誤りとされる。論理学では後件肯定の誤謬と呼ばれる。ここで、Aが前件、Bが後件である。しかし、こういうものの言い方は不親切である。Bが成り立つときに、現実にAが成り立つことは多いはずである。むしろ正確な言い方としては、「BであってもAであるとは限らない」である。では、後件肯定の誤謬のような「誤った」論理は本当に駄目なのだろうか。

現実世界では、ある現象が起きたときに、その理由を説明することが必要な場合がある。その場合、「AならばBである」という科学的真理があったとして、現象Bが起きたときに、それは「Aだったから」という説明がなされる。これは上の「誤った」論理ではないだろうか。しかし、これを否定したら、科学的な説明はできなくなってしまうではないか。実際にAを観測できていれば、たしかにもっともらしくなるが、それでもBの原因がAであるとは断定できないはずである。身近な例で言うと、「大気中の二酸化炭素濃度が高まると、温室効果によって大気の温度が高くなる」という原理がある。これは地表の熱が宇宙に逃げていくときに、大気中の二酸化炭素など赤外線を吸収しやすい物質によって吸収されて、そこにとどめられ、その熱が地表に逆放射されることで起きる。これ自体は地球の歴史の中で何度も起きていて、理論的にも、コンピュータシミュレーションでも容易に証明されることである。では、「大気の温度が上がっている」という現象が観察されたときに、「それは大気中の二酸化炭素濃度が上がっているから」と言えるのだろうか。現実に二酸化炭素濃度が増加していることも、たしかに観測されている。だからといって、現在の気温上昇の原因が二酸化炭素であると断定することは、論理的にはできない。他にいくらでも気温を高めうる要因は考えられるからである。太陽の光が強まるとか、地球内部からの熱の放出が高まるとか、宇宙線が弱まって雲の形成が少なくなっているとか、さまざまなことが考えられる。こうした議論がここ数十年間続いてきたが、いつの間にか、こういう論理的な批判は不合理なものと見なされ、行動あるのみという意見が多数派となっている。たしかに、非常に精密なコンピュータシミュレーションを行えば、こうした別の可能性を排除できる可能性はあるし、逆にそれぞれもある程度の寄与をしていることがわかるかもしれない。

アブダクションという「わざ」

論理学に基づく正当な論理は、なぜ科学とは違うのか。それは、科学の歩みそのもののしくみにある。科学は演繹では成り立っていないのである。前著『科学哲学へのいざない』で提案した科学研究の進み方のモデルを簡単に紹介する。自然科学は、数学のような公理から導き出される命題の体系ではない。その理由は、実験や観察など、現実世界で起きていることを理論体系に組み込むしくみにある。実験や観察を行った場合、多数の仮説を考える。その仮説の一つひとつについて、他の理論や実験事実と矛盾しないかを検討していくと、いくつかの仮説は不適切であることがわかるだろう。その上で残った仮説について、もしもその仮説が正しかったとすれば、他にどんな現象が起こるかを想像してみる。この過程は演繹である。起こりうる現象のそれぞれをチェックしていき、たしかに最初の現象とともにおこる別の現象があることがわかると、それを導く仮説が絞り込まれる。これを仮説演繹法などとも呼ぶことがあるが、重要なのは、観察された事象を説明しうる多数の仮説を考えることである。これをアブダクションとも呼ぶ。アブダクションは、先に述べた後件肯定の誤謬に相当するので、そのすべてが正しいわけではない。しかし、中には正しいものがあるかもしれない。自然科学では、可能性のある仮説群の中から、新たな実験や観察によって、もっともらしい仮説を絞り込んでいくという作業が行われる。この過程は、活発な研究活動と多大な時間を要するもので、最初に述べた論理だけによる体系とは異なる。論理的な体系は、前提条件が与えられれば、結論は自ずと出てくる。自然科学の研究活動は、その逆のプロセスである。つまり、原因となりうる法則や原理を見つけ出す過程である。うまく法則や原理が見つかれば、それは新たな科学的真理として、多くの現象の説明に利用することができるかもしれない。しかし、法則や原理を生み出す過程は、単なる論理過程ではないので、意地悪な言い方をすれば、合理的な過程ではない。つまり、法則や原理を考え出す過程は必ずしも論理的なプロセスでなくてもよく、天才のひらめきでもよいのである。しかし、その法則や原理をもってすれば、多くの現象の理解が進むという現実を示すことで、その法則や原理の正しさが確証されることになる。

関連した話に、相関関係は因果関係ではないというものがある。最近のビッグサイエンスやデータサイエンスと呼ばれる分野では、膨大なデータの間の相関関係を解析することによって、その中に因果関係を見いだせると主張している。上の説明のとおり、どんなことをしてみても、起こった事象の集まりだけでは因果関係を導き出すことはできないし、法則は生まれない。データサイエンスで実際にやっていることは、いくつかの因果関係を想定し、それぞれのもっともらしさを計算しているだけである。しかし、コンピュータサイエンスの学者たちの中には、ビッグデータを解析すれば、因果関係や法則、つまり科学的真理が導き出せるかのように語り、一般人ばかりか普通の実験科学者も信じ込ませている者も少なくない。彼らの共通の特徴は、数学やプログラミングが得意な若者（たまには年寄りもいる）で、コンピュータの中の世界だけで生きているような、科学と社会の関わりを考える哲学などに無縁な人々とでも言ったらよいだろうか。われわれ基礎科学者も同じ悪口を言われそうだが、実験をどう理論に組み込んでいくかというところで大きな違いがあると思う。

アブダクションは多数の仮説を形成する手続きなので、科学だけにとどまらない。技術に分類した中でも、現状分析などは、現状を説明できるさまざまな仮説を生み出し、可能な限り検証しようとする。純粋に理論的な科学とは違うものの、その進め方には共通した部分があり、また、生み出された理論が科学理論に組み込まれていくこともある。コロナ禍のような場合、最初はこうした現状分析の中から、新たなウイルスがいるらしいことがわかり、それがどこに拡がっているのか、どんなしくみで感染するのかなどの予測がなされた。そうしたものがもとになって、実際にウイルスを発見したり、感染を抑える手段が考案されたりしたので、一部は科学研究のきっかけともなった。気候変動問題でも、現状分析の中から地球の平均気温が上昇していることがわかり、それが温室効果という科学理論で説明できるかもしれないという仮説が生まれたが、同時にさまざまな他の仮説も生まれた。科学理論を現実世界に適用しようとする際には、多くの場合、アブダクションが使われる。多くの仮説が生み出されるが、それは科学そのものではなく、科学理論の当てはめの試みでしかない。そこが一般の人々にはわかりにくい点であろう。

科学は絶対真理の体系ではない

科学理論の形成の話に戻ると、科学的真理が生まれる過程には仮説形成と検証過程が含まれ、数学などの演繹的な論理とは異なることがわかる。そのため、ひとたび確立された科学的真理も、必ずしも絶対的に正しいとは限らない。数学のような論理的な正しさならば絶対的に正しいのであるが、科学の場合はそうはいかない。科学と偽科学の問題を考える場合に、このことは重要な鍵となる。

正しくない科学的知識があった場合、それは偽科学なのだろうか。それとも単なる科学の間違いなのだろうか。偽科学というのは、もう少し作為的なものと考えるべきである。科学の真理は、先にも述べたように、考えられる仮説の中で、現在あるさまざまな他の証拠と矛盾しない一番妥当なもの、というくらいのものである。数学的な真理のように、最初から絶対的真理として与えられるものではない。たとえば、「二等辺三角形の底角は互いに等しい」というのは、平面図形で考える限り絶対的に正しい。しかし、ものの大きさや運動速度は絶対的なものではなく、特殊相対性理論によれば、他の運動系から見ると違って見える。ただし、光の速度は、どれだけ速く運動する系から観測しても変わらないのだそうである。日常生活の現象とはかけ離れた話であるが、二〇世紀のはじめ、それまでの物理学の法則が大きく変更されることになった。

別の例もある。ガラパゴス諸島のそれぞれの島には、少しずつ形の異なるフィンチという鳥がいることをダーウィンは観察したのだが、それが自然選択による進化によるものだという学説を立てた。これは長い歴史の問題なので、その真偽は誰も証明できないのであるが、それでも、同様の考え方によって多くの生物種の多様性を理解できることが認められた。そのため、進化論は非常にもっともらしい仮説であり、現在では、定説として認められている。しかし、詳しくみると、ダーウィンが述べていた学説と現在の進化学説はかなり違っている。ダーウィンは形質変異の理由を説明できなかったのであるが、その後、遺伝子の変異がどのように進化に組み込まれるのかが詳しく検討され、現在に至っている。ダーウィンが進化論を打ち立てたように言われるが、実際には、進化の考えはラマルクが考え出し、それからダーウィンを含め、多くの研究者の研究の積み重ねによって、現在考えられる進化学説となっており、何度も何度も、修正を繰り返してきているのである。

多くの科学理論は、最初に提唱されたときに確立されたわけではなく、その後の多くの研究によって、細かい修正が加えられ、だんだんと妥当な理論に練り上げられてきていると考えられる。その意味では、科学に完成形はない。常につくり続けられているのである。一般には、科学者は何でも知っているとと思われていて、どんなことが起きても、その専門の科学者なら、説明を与えることができるはずだと信じられている。では、世の中で起きる現象のどれだけが、適切な科学的説明を与えられるのだろうか。私はむしろ悲観的な見方をしたい。答えのある質問をすれば、たしかに説明はできるだろう。それは質問者もある程度こんな説明ができるはずだという予測がある場合の話である。そうでない場合、つまり、本当に答えがわからない質問はいくらでもある。

わからないことは多い

世界の中で起きるさまざまなものごとにはわからないことは多い。ＵＦＯが見えたとか、変な物音が聞こえたとか、そうした怪奇現象のたぐいであれば、答えがわからなくても不思議はない。明らかにうさんくさい怪奇現象でなくても、よくわからないことはある。たとえば、少し前に東京の郊外で起きた地面の陥没事故である。閑静な住宅街で、いきなり道路が陥没し、大きな穴があいてしまった。その理由がすぐにはわからなかった。これなどは既存の知識をできる限り動員して、現状を分析する努力という技術の例である。実は、地下深くで、道路建設のためのトンネルを掘っていたが、業界の常識としては、そんな地下深くならば、地上近くに影響を与えるはずはないと考えられていた。ところが、その後詳しく調べていくと、やはりトンネル掘削が原因としか考えられないということで、建設業界の常識が変更を余儀なくされたようである。この場合、どこでも起きることではなく、地下の特殊な地質構造が関係していたようなので、詳しい事前の調査が必要だったということかもしれない。これなどは、主に土木工事の技術の問題であるが、その背景にある科学、つまり振動に対する土壌の性質に関わることなど、科学の問題も含むかもしれない。福岡の駅前大通りで、地下鉄工事が原因で大陥没したことがあったが、その場合は、すぐ下で地下鉄の工事をしていたため、因果関係が明瞭だった。上記のケースは、そうしたことはクリアしたつもりの上での工事であったのだが、それでも事故が起きてしまったため、基本的な認識が変更されることとなったわけである。

現状分析から科学理論へ

こうした事故に絡む問題では、工事関係者が責任を問われることになるのだが、一方で、地面の下のことはわからないことが多いのも事実である。昭和三九年の新潟地震の際には、大きな建物が根元からひっくり返り、地盤の液状化が大きな問題となった。今でもそのときのニュース映像を印象深く覚えている人は多いはずだ。湿った土砂は、そのままならしっかりとしていて、びくともしないのだが、地震のような振動が加わると、液体のようになってしまうのである。これなどは、こうした大事件が起きてみないとわからないことかもしれない。一度こうしたことがクローズアップされると、その後、詳しい研究がなされて、地盤の地質によっては液状化が起きやすいところがあることがわかってきた。同様のことは大地震のたびに話題となる。東日本大震災のときには、浦安など各地で液状化が起きた。自分が住んでいる土地で液状化の危険があるかどうかは、ある程度わかるようになっていると思うが、それでも実際に起きるかどうかは、現実にその場にならなければわからない面もある。

多くの科学理論は、実際に起きた現象を理解し説明するための枠組みとして生み出されたものである。その場合、前に述べたように、たくさんの仮説をつくり、それらを一つひとつ検討していく。既存の理論の枠組みと矛盾しないようにして、その上で、ありうる仮説を検証していく。新たに実験をすることで証明できる場合は、実験をすればよいが、地震などの天災と関係する理論は簡単に実験で試すことはできないかもしれない。それでも、他の同様の事象との比較や他で得られたデータを調べることで、同様の仮説が当てはまるかもしれない。結局のところ、科学に万能の処方箋があるわけではなく、その事象ごとに研究方法を考えなければならない。ともかく、ひたすら研究を続けることで、少しずつ理解が深まるのである。いきなり答えが出てくるようなものは科学ではないとすら言えるかもしれない。とりあえず仮説は出せるが、検証してみないと正しい答えかどうかはわからないのである。最初に図1で示したように、本書の考え方としては、現状分析そのものは技術に分類するが、それには既存の知識、特に科学知識の当てはめが行われる。既存の科学知識で間に合えば、普通に技術の問題となるだろうし、既存の知識で間に合わないときには、新たな理論を仮定し、それが妥当であるかの検証が行われる。それによって新たな科学知識や科学理論が生まれるかもしれない。あるいは、全然違ったところから、説明できるようになるかもしれない。現状分析は技術と科学の接点にあり、科学をつくる入り口の一つになり得る仮説形成活動ということもできるかもしれない。一方で、すでに説明したように、現状分析はまた、一番科学が誤って利用される場でもある。

　これに限らず、技術は科学知識や科学理論が適用される場であるので、現実世界と科学が直接対峙する場のように見える。本書では、技術として、現状分析、対応策の考案、ものづくり、医療などを考えているが、これらはどれも、科学知識が使われる場として、一般の人から見ると、科学そのものに見える。しかし、現実世界における問題に対して、それを分析する方法はさまざまありうるし、対応策にもさまざまなものがあるだろう。ものづくりが一通りでないことは、自動車にガソリン車や電気自動車があることでも明らかである。病気の診断や治療のやり方も、状況によってさまざまなものがありうる。患者が押し寄せる状況のときや、特別重要人物の場合、どれだけお金を使えるのかなど、いくらでも制約要因はある。問題が起きたとき、社会における緩和策や適応策として使われる技術にもさまざまなレベルのものがありうるが、結局、評価は結果次第である。それは科学の問題というよりも、科学の利用のしかた、つまり技術の問題である。逆に、科学はそのままでいきなり問題解決に利用できるものではない。

固定した真理にとらわれないのが科学

ここまで述べてきたように、現状分析において、科学がいきなり答えを出せるわけではない。むしろそれだけ慎重なものである。だから、何か大きな事故や天災があったときに、テレビなどでもっともらしい説明をする科学者は、本来の科学的な態度ではないのだろう。もちろん、求められれば、何らかの答えを述べることも必要だろうが、それは単に思いついただけの仮説に過ぎないことが多い。むしろ、仮説としてはこういうことが考えられて、それはどうすれば検証できるのかを説明すべきなのだろうが、マスコミ的にはつまらないというか、明解な答えにならない。逆に明解な答えを言う専門家は怪しいと言うべきだろう。新型コロナ感染症問題でも、この三年間で、いろいろな専門家がテレビに出てきて発言したが、あまり当たっていなかったのではないだろうか。こういう場合、彼らは科学者として発言したのだろうか、それとも政治家として発言したのだろうか。コロナ禍が始まって一年もすると、テレビ番組の司会者やコメンテーターたちもこういうことに気がつき始めて、専門家といえども普通の人の発言と変わらないか、あるいは政治家の代わりの発言をしているのではないか、などとも言い出していた。科学者はあくまでも固定観念にとらわれずに、柔軟にものごとを考えるべきで、軽々しく憶測でものを言うべきでない。現状分析のための仮説は仮説として述べる必要があるし、その検証方法についても述べるべきであろう。逆に、固定した真理があるかのような話し方をするとすれば、それは偽科学ということになろう。科学と偽科学の境目は結構微妙である。知識の使い方次第である。

第Ⅱ部　コロナ禍をめぐる科学と社会の関係

第五章　感染症とは

いくつかの感染症の歴史

人類の歴史の中で、感染症がたびたび大きな被害をもたらしてきたことは周知の通りである。コレラやペストの大流行で多くの人が亡くなったことは、ヨーロッパの歴史でも、日本の歴史でもよく知られている。いくつか紹介しよう。国立感染症研究所の感染症情報センターのホームページでは、さまざまな感染症に関する情報が公開されている。栄研化学のホームページから公開されている『モダンメディア』という学術情報誌には、さまざまな感染症に関する専門家による最新の解説が掲載されている。以下に紹介する内容の多くは、これらに基づいている。

ヨーロッパにおけるペストの大流行としては、六―八世紀（五四一―七五〇年）と一四世紀以降（一三三一年以降断続的に一八五五年ごろまで）のものが知られていて、この第二の大流行では、当時のヨーロッパの人口の三分の一にあたる二五〇〇万人が亡くなったとされている。一八九四年に香港から始まった大流行のときには、ドイツの細菌学者コッホの弟子であった北里柴三郎とフランスのパスツール研究所のイェルサンがペスト菌を単離することに成功した。本当は北里の方が早かったのだが、両研究グループの確執の影響で不当な扱いを受けたとも言われるが、私自身はこの経緯について見解を述べられるほど詳しくない。当初はパスツールの業績をたたえて、ペスト菌の学名が*Pasteurella pestis*とされたが、後年、イェルサンの業績として、その名前（*Yersinia pestis*）がつけられた。ペストはそれを媒介するネズミの駆除により、もはや猛威をふるうものではなくなった。厳密には、ネズミからノミを介してヒトに感染する。若い人たちは知らないかもしれないが、昔はどの家でも天井裏でネズミが駆け回っていたもので、かご形のねずみ取りにイモなどのえさをつけて、しょっちゅうネズミを捕獲していたものである。田舎の家では「うちまわり」と呼ばれるアオダイショウ（蛇）が住んでいて、ネズミをえさにしていた。また、飼い猫もネズミをとった。そればかりでなく、下水道の整備など、社会全体のインフラの整備も相まって、少なくとも日本では一九二七年以降、ペストの発生は見られていない。おかげで今は、猫たちは人間並みの美味しいえさがもらえるようになり、ずいぶんと時代は変わった。ただ、世界ではまだアフリカ（コンゴ、マダガスカルなど）、南北アメリカ（アメリカ合衆国、ペルーなど）、アジア（中国やベトナム）などにペストが残っている地域がある。

コレラはもともとインドのガンジス川下流から始まったとされ、その後、各地で流行が起きた。一八一七年にはコルカタから世界的な流行が起き、それが日本にも達した。日本でのコレラの流行は江戸末期の一八二二年と一八五八年、いずれも外国から感染が持ち込まれたのが原因とされている。一八五八年にはイギリスのロンドンで大規模な下水道の整備が行われ、それにより、コレラの発生がなくなった。一八五四年にイタリアのバチーニがコレラ菌を発見しイタリア語で発表したものの、広く知られず、一八八四年になって、コッホが改めてコレラ菌の（再）発見を発表したそうである。コレラ菌には、血清型と呼ばれるよく似たものが数多くあり、それぞれに食中毒を引き起こすが、コレラを起こすのはO《オー》1とO139だけだという。どちらも、コレラ毒素を産生し、毒素が腸管の細胞に入り込むことで、激しい下痢を起こすことがわかっている。いまでは、経口補水液と抗菌薬、さらにワクチンなどにより、先進国ではコレラで死ぬ心配は少なくなっているが、いまだに、インドをはじめ、アフリカのいくつかの国では、毎年一四〇―四三〇万人のコレラ患者が出ていて、二・八―一四・二万人が亡くなっている。

マラリアは、マラリア原虫が引き起こす病気で、熱帯地方で蚊（ハマダラカ）が媒介することで有名である。年間、約二億人が感染し、七八万人あまりの死者が報告されるきわめて深刻な感染症である。日本での輸入マラリア患者は五〇名程度とされる。非常に危険な熱帯熱マラリアの他に、三日熱マラリアなど、病原体が異なるマラリアも存在する。生物学の教科書に出ている有名な話として、熱帯地方の一部の地域では、ヘモグロビンの遺伝子に変異がある鎌形赤血球症という重度の貧血を引き起こす遺伝病が知られているが、不利な遺伝子にもかかわらず、それがマラリアに抵抗性であるために、風土病として広く残っているといわれている。マラリアの治療にはクロロキンという薬剤が使われたが、最近ではクロロキン耐性の原虫が知られるようになり、他の抗マラリア薬が開発されている。いずれにしても、マラリアが流行する地域に旅行する際には、蚊に刺されないようにすることや、予防的に薬を服用することなどの対策が必要である。

蚊（コガタアカイエカ）が媒介する日本脳炎も、戦後の日本ではしばらくの間深刻な感染症であった。水たまりをなくすことなどによって蚊が増殖できる場所をなくしたことと、ワクチン接種が行き届いていることにより、日本ではほとんど問題にならなくなったものの、今でも小規模な流行はある。また、アジア諸国では、毎年数万人の患者が発生し、一万人以上が亡くなっている。ブタが保持しているウイルスが蚊によってヒトにもたらされるそうである。なぜ日本という名称がついているのか不思議に思われるかもしれないが、日本を含めアジア諸国で発生するためにその名がついたようである。ほかに、蚊（ヒトスジシマカ）が媒介するウイルス感染症としては、デング熱やジカウイルス感染症などが知られている。デング熱は二〇一四年に日本でも流行したが、世界中では毎年約三億九〇〇〇万人が感染し、約一億人が発症するそうである。

いまではポリオと呼ばれるが、以前は「小児マヒ」と呼ばれていたウイルス感染症がある。急性期には呼吸不全があり、そのあとに身体の麻痺が残る重篤な感染症で、一九六〇年代には日本でも流行した。ポリオのワクチンとしては、経口投与する生ワクチンが使われたが、ワクチンに含まれる弱毒化したウイルスでも麻痺が起きることがあり、現在では、不活化ワクチンの接種に切り替えられている。いまや、世界的にも、感染者はきわめて限られた国の少数例になっており、ＷＨＯ（世界保健機関）は天然痘に次ぐ根絶対象にしている。

かつて、日本では伝染病予防法で定められた法定伝染病が一一種類あり、患者の隔離などが定められていた。コレラ、赤痢、腸チフス、パラチフス、痘瘡（天然痘）、発疹チフス、猩紅熱、ジフテリア、流行性脳脊髄膜炎、ペスト、日本脳炎である。一九九八年から、法律が感染症法（正式名「感染症の予防及び感染症の患者に対する医療に関する法律」）に変わり、一類の痘瘡から五類の流行性脳脊髄膜炎までに分類され、それぞれに対策が定められている。また、以前は別々の法律があった結核やエイズ、性病もこの法律がカバーするようになったほか、ＳＡＲＳやエボラ出血熱などの新しい感染症への対処も定められている。

感染症は過去のものという「常識」

感染症の歴史で画期的だったのが、一九八〇年のWHOによる天然痘の世界根絶宣言であろう。これは人類が天然痘という感染症に打ち克ったという、医学・公衆衛生の偉大な成果であった。当時、まだ他の感染症は勢いが衰えていたわけではないが、この成果は感染症が過去のものとなることを暗示した。一九八〇年当時、がん研究が医学の最先端となり、成人病の対策も急務となっていた。私自身、直接医学の現場に接する機会があったわけではないが、生物・生化学関連の学界の状況からみて、この時代、感染症は次第に医学研究の関心から外れていったように思われる。もちろん、一九九〇年代にゲノム研究が盛んになったときには、病原生物のゲノムが真っ先に解読されたのは間違いないのだが、後でも述べるように、いくらゲノムがわかっても、病気の原因がすぐにわかるわけでもなく、まして治療法がわかるということでもなかった。ゲノムはあくまでも基礎データであり、病原生物ということは、ゲノム解読の優先度における付加価値を高めるものでしかなかった。その後、再生医療も新たな研究の花形となり、ますます病気としての感染症の研究は隅に追いやられていったように思われる。一方で、二〇二二年になり、サル痘と呼ばれる天然痘に似た感染症の拡がりが判明し、天然痘ウイルスという一つのウイルスだけを撲滅しても、類似のウイルスがいくらでもあるという危険性も浮かび上がってきた。感染症に打ち克ったという天然痘でのこれまでの経験が根底から覆されるような状況でもある。

病気そのものの研究以外に、公衆衛生の問題もある。最近では若者が地面に座り込んで飲食をするのを見かけることがあるし、食事の前に手洗いをしないこともあるようだ。ただ、コロナ禍にあって、手の消毒だけは定着した。すでに書いたように、戦後の日本では公衆衛生の教育や啓蒙が盛んに行われ、ワクチン接種の普及と相まって、多くの感染症（当時は伝染病と呼んだ）がほとんどなくなった。しかし、最近のデング熱流行問題でもクローズアップされたように、ボウフラのわく水たまりは結構あちこちにあり、昔とはだいぶ様子が変わったことがわかる。昔は水たまりがあると殺虫剤を垂らしてボウフラの発生を防いだものである。今でも、地下鉄のホームに立っていると、線路のまわりの水路のようなところをネズミが駆けているのが見えることがある。都会ではドブネズミを根絶するのは難しいのかもしれないが、若者はドブネズミを見ても撲滅させるべきものという意識をもたないようだ。ハエや蚊やゴキブリは依然として嫌われていると思うが、感染症の媒介者を根絶する必要があるという意識をもちつづけてほしい。

物語における感染症

人類が死と向き合うことになる感染症の大流行は、芸術作品の題材としても重要であった。一六世紀にペストの大流行を描いたブリューゲルの絵画『死の勝利』は、見るものに強烈な印象を与える。当時まだ感染症ということもよくわからなかったペストといういわば死神が、いつ自分に襲いかかってくるかわからないという恐怖を生々しく描いた作品である。

一九四七年に出版されたアルベール・カミュの小説『ペスト』は、アルジェリアのオランという実在の街を舞台として、ペストが大流行したという歴史的な事実をもとにして書かれた小説である。カミュの意図としては、第二次世界大戦におけるドイツ軍によるフランス占領下での苦しみと人々の抵抗運動を象徴的に描いたものと言われるが、それでも、ペストが人々に与えた恐怖心や街の封鎖による閉塞感などが見事に描き出されている。話は、医師リユーの自宅兼診療所の階段の踊り場で、ネズミがいきなり倒れて血を流して無残な死に方をするところから始まる。ふつう、交通事故でもなければ、人の目につくところでネズミが死んでいることなどない。マンションの管理人ミシェルは同様に三匹のネズミを見つけて誰の仕業だと文句たらたらに片付けるのだが、結局はそれが原因で、このペスト流行の最初の犠牲者となる。小説を読むと、その時代、すでにペストの病原菌がわかっていて、消毒などの感染対策をとっていたこと、治療には抗血清が使われていたことがわかる。感染症というのは、病原体が感染するわけなので、ある意味、対策をとれば「安心」なもので、感染者に接しない、ネズミに近づかないなどの注意をして、消毒をしていれば、おおかた大丈夫なのかもしれない。主人公の医師は果敢に街の公衆衛生や治療に励むのだが、一方で、ペスト流行以前に街から離れて療養していた妻は、街に戻ることができないまま亡くなってしまう。たまたま取材で街に来ていた記者ランベールは、突然の街の封鎖によりパリに戻れなくなり、妻と離ればなれの生活を余儀なくされる。何度も不正な手段で脱出を試みるのだが、不首尾に終わり、意を決して、ボランティアによる公衆衛生対策のための保健隊の一員になって活動する。この間、災禍に見舞われた街の様子や多くの人々の死が描かれ、カミュのテーマである「不条理」が強く感じられる。一方で、リユーとタルーによる克明な状況の記述と分析が、単なる小説ではない、カミュの哲学的世界を感じさせる。

ただ、街の封鎖から一年あまりが過ぎた頃、突然、患者が少なくなってきて、流行のピークは終わりを告げる。街の封鎖も解除される。閉じ込められていたランベールもフランスに帰国できることになる。しかしまた、一緒に活動してきた保健隊の他のメンバーであるタルーは、都市封鎖解除を目前にして、ペストで亡くなってしまう。小説の話ではあるが、悲喜こもごも、さまざまなドラマが展開される。

第六章　新型コロナ感染症と新しい専門用語

「新型」コロナウイルス感染症への私たちの反応

さて、昨今の「新型」コロナウイルス禍に話を移そう。二〇二〇年初頭の感染拡大開始時から、SNSやネット上では、本当はたいしたことがないのに政府が危機感を煽っているという陰謀説が流れたようだ。これにもさまざまなレベルの噂があるようだが、実際、私が時々買い物で訪れる新宿の西口広場や南口駅前でも、感染者として報告される数は本当ではなく、PCRで検出されているのは身体の中に残っている「死んだ」ウイルスであるということを声高に叫んでいるのを何度も聞いた。「コロナは風邪」という街頭デモも時々行われた。若者は重症化しないので行動規制は必要ないという声も多く聞かれた。ワクチンの効能や副作用についても、さまざまな噂が飛び交い、その裏には、製薬会社が儲けようとしているだけではないかという憶測があった。イスラエルとタイアップしてファイザー社が優先的に国民レベルでの接種を大規模な治験として進めたことは、そうした陰謀説のイメージを強めたともいえる。

こうしたコロナデマ説はかなり根強く残り続けたようだが、それでも二〇二二年初頭の段階で、国民の八割方が二回のワクチン接種を完了していたという状況から考えると、デマを信じる人はかなり少数派のようだった。残りの二割は接種対象年齢に満たない子供に相当するので、対象者の大部分が接種を済ませたことになる。とはいうものの、三回目の接種がなかなか進まない一つの理由は、ファイザー製のワクチンをすでに接種した人たちがモデルナ製のワクチンを忌避していることであった。ワクチンの副作用がモデルナの方が強いと信じられているためらしいが、そのあたりにもまた新たなデマが拡がっていたのであろう。また、この時期までに主な変異株となったオミクロン株が「弱毒化」していて、若者なら少なくとも死ぬことはないという安心感も、三回目のワクチン接種が進まない原因とも言われている。もっとも、厚生労働省の見通しの悪さが原因で、段取りがきちんとできていないという考えもある。どんなことでも、このようにいくつもの考え方が出てくる。全部がデマというわけではなく、逆に全部が真実ということでもないだろう。そのあたりをどう見極めていくのかが問題だ。

危機に直面すると、人々はどうしてもデマに惑わされてしまう。ウイルスとは何か、ワクチンとは何か、どうして病気になるのか、どうやってウイルスはヒトからヒトへとうつるのか、などなど、わからないことは多い。わからないのは庶民ばかりではない。専門家と呼ばれる人たちにとっても、「新型」である以上、今度のウイルスSARS-CoV-2の正体はわからないし、どうやって感染するのか、このウイルスが体内でどういう悪さをするのかなど、何もわかっていなかった。専門家にできることは、従来の他のウイルスでわかっていることをできるだけ当てはめて考えることで、それがこのウイルスに当てはまるかどうかは、少なくとも当初はわからなかった。ウイルスはマスクの網の目を通るので、マスクをしても意味がないという専門家も最初はいた。うがいも、一五分くらい前からあとに入ってきた病原体しか洗い流せないので、やっても無駄だと言っていた。それが時間とともに変わってきて、今や基本的な感染予防策は、手洗い、消毒、うがい、マスクなど、ずっと前から言われてきているインフルエンザや風邪に対する予防策と同じことになっている。それに加えて、人との距離をとることや換気の徹底などが重要とされている。

こうした状況は、先に述べた『ペスト』に描かれた人々の反応と実によく似ている。危機に直面し、初めは信じることができず、次に恐怖心を抱き、さらに絶望し、近親者の感染を素直に受け入れられない状況は、すでにこの小説に描かれたものとそっくりであった。感染拡大から半年くらいのときには、消毒と称して酒浸りになる人が増えたということも聞いたが、それも『ペスト』にはちゃんと書かれていた。本当に驚くほどそっくりなことが起きた。

以下では、新型コロナウイルス感染症（COVID-19）関連の言葉を整理しておこう。

PCRで何がわかるのか

PCRという言葉は、少し前まで、大学の分子生物学の講義で出てくる専門用語だった。いまやこの言葉を知らない人はいない。もちろん言葉を聞き知っているからといって、その中身がわかっているとは限らない。実際問題として、これはかなり難しい内容を含んでいるが、理解できないものではないだろう。コロナウイルスをPCRで検出する場合、ウイルスそのものではなく、ウイルスの中に入っているゲノムを検出している。人間であればゲノムはDNAという物質だが、コロナウイルスではRNAという少し違った物質である。RNAとDNAは塩基と呼ばれる四種類の物質が並ぶことによって情報を表現していて、それを塩基配列と呼ぶが、ＲＮＡとＤＮＡはどちらも塩基配列で表される互いによく似た長い分子である。一般的なゲノムＤＮＡは二本鎖で、それぞれが互いに相手の鋳型になる関係（相補性と呼ぶ）にある。コロナウイルスのゲノムＲＮＡは一本鎖である。ＰＣＲで分析する場合、これを鋳型として相補鎖ＤＮＡを合成し、さらに、二本鎖のＤＮＡに変換する。この段階はまだＰＣＲではない。準備段階である。ＰＣＲというのは、ＤＮＡのうちのごく一部を大量に増やして検出しやすくする技術である。最先端の技術でも、たった一分子のゲノムを検出することは非常に難しいからである。その場合、ここからここまでを増やすという増幅領域を設定するために、増やしたい領域の両端の短い塩基配列に相当するＤＮＡ（プライマーと呼ぶ）を人工的に合成し、反応液に添加する。ＤＮＡを複製する酵素を使って、分析対象ＤＮＡのうちで、これら二種類のプライマーにはさまれた部分の塩基配列をコピーしてＤＮＡをつくる。原理的には、一回の反応でＤＮＡ分子は二倍に増えることになる。これを自動的に何度も繰り返す結果、もともと一分子しかなかったＤＮＡに対して、特定の領域だけを何百万分子も合成することができる。一〇回の反応で一〇〇〇倍、二〇回で一〇〇万倍である。こうして多量に増えたＤＮＡを検出することで、分析対象としているウイルスのゲノムがそこにあると判断できる。

現在診断に使われるＰＣＲは定量的ＰＣＲ（qPCR）と呼ばれるもので、ＤＮＡ増幅反応をリアルタイムで追跡できる（後で述べるように、細かく言えばRT-qPCR）。つまり、ＤＮＡを増やす反応を何回行ったときに、予め設定された量（十分に増幅されていると判定できる量）になったかを表すのに、ＤＮＡ増幅反応の回数を表すＣＴ値が用いられる。ＣＴ値が少ないほど、もともとのウイルスゲノムがたくさんあったことになる。

ＰＣＲは一九九五年頃に開発された技術で、これにより、微量のＤＮＡを容易に検出することができるようになった。これは本当に画期的なことで、それにより、ノロウイルスや食中毒を起こす大腸菌Ｏ《オー》１５７なども、残された食材から容易に検出することができるようになった。大腸菌のような細菌であれば、適当な栄養分を与えれば増殖させられるので、以前は、培養することで検出していたが、ＰＣＲを使うことで迅速な検査が可能になった。ウイルスについては、従来は有効な検査法がなかったので、ＰＣＲは画期的な分析技術となった。

コロナウイルスを検出するＰＣＲは、前段階としてＲＮＡをＤＮＡに変換する逆転写反応（ＲＴ）を含むので、ＲＴ-ＰＣＲと呼ばれる手法であるが、マスコミなどでは単にＰＣＲと表現されている。すばらしいＰＣＲ技術だが、弱みもある。二種類のプライマーに依存して、その間の塩基配列を増やす技術なので、プライマーに対応する部分のウイルスゲノムの塩基配列が変化していれば、途中の塩基配列を増幅することはできない。全体としてはウイルスゲノムがあっても、プライマーに対応する約二〇塩基の部分に変異があれば、ＤＮＡが増幅されにくくなって、ＣＴ値が増えてしまう。あるいは全く増幅されず、ウイルスが検出できなくなる。また、街のデマ演説でも指摘されることがあるように、実際に検出されているのが、「生きた」（感染力のある）ウイルス粒子そのものではなく、ウイルスに含まれるゲノムＲＮＡであるということも、結果を解釈する上では注意が必要である。かといって、「生きた」ウイルスを検出するには、細胞に感染させるしかなく、現実にそうした検査を行うのは難しい。

また、ウイルスゲノムの一部を増幅して検出することができても、ウイルスゲノム全体がどのような塩基配列であるのかは、別個に、ゲノム解読を行わなければわからない。さまざまな変異株を見分けるには、ゲノム解読が一番よいが、特別な装置を使い、時間もかかる。「新型」コロナウイルスのゲノムは複数のＲＮＡ分子からなるので、それだけ分析に手間がかかる。そのため、日本では、限られた数の検体でしかゲノム解読は行われなかった。ただ、日本の研究施設におけるゲノム解読の能力がそれほど低いとは思えないので、本当はもっとたくさんの検体を分析できてもよかったはずだと思う。理学部や他の学部でもＰＣＲはお手のものなのだが、医学的な診断を行うには、特に診断用として許可を得た装置を使って医学部や医師が得た結果でなければ駄目という規制がこうした非常時に適切だったのかも問題である。特定の変異株だけを狙った分析なら、その変異株特有の塩基配列に対するプライマーをつくり、ＰＣＲ分析を行えばよいのだが、それでわかるのは一つの変異株だけなので、さまざまな変異株が入り乱れている現状では、こうした分析もあまり役に立たない。

抗原検査で何がわかるのか

ウイルスの検査では、もう一つ、抗原検査と呼ばれるものがある。コロナウイルスはゲノムＲＮＡを脂質の膜とタンパク質の殻で覆った構造になっているので、そのタンパク質部分を、抗体を利用して検出しようとするのが、抗原検査である。この場合、抗原とはウイルスのタンパク質のことである。分析に使う抗体は、ウイルスがもつタンパク質と同じものを、ウイルスのゲノムＲＮＡの塩基配列情報を元にして合成し、それを動物に注射して免疫をおこなう。こうして抗体をつくらせることは、次に述べるワクチンと似ているが、検査に使われるのはモノクローナル抗体と呼ばれ、純粋な抗体タンパク質だけを培養細胞に大量につくらせたものである。抗原検査では検査試薬に含まれる抗体が、ターゲットとなる抗原（つまりウイルスのタンパク質）と結合したときに、それを色素の発色として検出している。途中に反応増幅過程が含まれるので、検出感度は十分に高く、微量のウイルスも検出できる。

抗原検査も技術であるので、結果は注意して解釈しなければならない。二本の線が出るようになっていて、一方は必ず出てくる。これをコントロール（C）と呼び、検査の反応がうまくできていることを確認するものである。通常、唾液を使って検査をするが、検査が陰性になってほしいと思うあまり、ただの水を検体として提出しても、Cの線が出てこないのでばれてしまう。一方で、ウイルスの量が少なすぎれば検出できない。感染していても、検出できるだけの量のウイルスが唾液中に排出されていなければ、検査で検出するのは難しい。PCRでも同じ問題はあるが、PCRの場合、反応サイクルを多くすれば、より微量のウイルスでも検出できる。

ワクチンとは何か

ワクチンの語源は牛痘（ウシの天然痘）である。イギリスのジェンナーが、牛痘を接種することにより痘瘡にかからなくなることを利用したのが始まりである。その後、一九世紀後半、フランスのパスツールが狂犬病のウイルスを弱毒化して接種することにより、狂犬病の発症を防ぐことに成功した。以後、病原体となる細菌やウイルスを弱毒化したものや、その成分の一部分を接種することによって、その病気にかからなくできることが確立した。その際に接種する物質をワクチンと呼び、それにより病気にかからなくなることを免疫と呼ぶ。もともとは、ある病気にかかった後、治癒すると、二度とその病気にかからなくなることを指した言葉である。はしか（麻疹）のように、一度かかれば一生かからないと言われている感染症は多いが、はしかも時として重症になるので、かからないに越したことはなく、その意味では「はしかワクチン」も大切である。

人間の身体には、このように、外来の微生物やウイルスに対して、それと結合し、分解に導くタンパク質成分がつくられる。それを抗体と呼び、抗体をつくらせる原因物質を抗原と呼ぶ。したがって、抗原にはいろいろなものがあり、それぞれに対して、それだけを攻撃する抗体が存在する。病原体でなくても、外来性のものであれば、それを抗原として抗体ができる。食物アレルギーや花粉症などである。さらに、ときとして自分の身体に本来存在する物質を攻撃する抗体ができてしまうこともある。自己免疫病と呼ばれる難病である。

世の中には恐ろしい感染症が数多く存在していて、感染の危険があるが、世界の中で、特定の土地でだけ流行しているような感染症ならば、そこに行かない限り、特に危険はない。そのため、普通に日本で暮らしているときに、マラリアやエボラ出血熱にかかることを恐れる必要はない。すでに述べたような法律で定められた感染症に対する予防を考えるだけでよい。それでも幼児が受けることになっている予防接種はかなり多い。たまたま風邪をひいていたりすると接種のスケジュールがうまく合わせられなくなってしまうこともある。接種前には体調管理が大切である。

このようにかなりの数の感染症については、ワクチン接種が義務づけられている。その場合、ワクチン接種により、本人がその感染症にかからないことを目的としているのは当然であるが、同時に、その感染症が社会に広まらないようにする意味もある。一方で、ワクチンも異物であるから、人によっては激しい副反応が起きることもある。死ぬことは滅多にないにしても、後に障害が残るようなことも報告されている。とはいうものの、もしも集団でワクチン接種をしなかったら、その感染症が社会で広まる恐れもあり、これは非常に困った事態である。多数の死者が出る可能性もある。ワクチン接種をするような感染症は、社会に感染が広まると、多数の重傷者や死者が出る恐れのあるようなものである。インフルエンザならば重症化して死者が出るのは稀なことだが、高熱で働けなくなる人が多数出れば、社会活動にも影響が出る。そのため、ワクチン接種は、社会としての利益とリスクのバランスを考えて、リスクよりも利益がずっと大きいという前提で行われている。その前提としては、個人レベルでのリスクがあまり高くないことが大切で、副反応のリスクが十分に低いことが実証されている必要がある。一般的なワクチン開発には、こうした治験のデータを得るために長い年月を掛けるのが普通で、そのために、膨大な投資が必要となる。通常の薬の開発でもそうだが、製薬会社は、一つの薬やワクチンの開発に多大な費用と時間を掛けている。そのため、薬は高価であるばかりでなく、特許で守られている。

ワクチンの原理は科学で理解できる面もあるが、ワクチン開発自体は医療技術である。科学の部分は生命科学の基本的知識を少し拡張した程度なので、臨床医や開発者でない私のような生物学者にもわかる。ところが、どんなものを抗原としてワクチンをつくるのかは、実際にやってみないとわからない。弱毒化した病原体でも病気を起こすことがある点は、ポリオの問題でも述べた。一方で、病原体の一部の成分としてどんな物質を使えばうまくワクチンとして働くのかも、実際に試してみないとわからない。今回の新型コロナのワクチンでは、ウイルス成分をつくるための遺伝情報を保持したmRNA（メッセンジャーＲＮＡ）を使う新技術が応用された。新しい技術なので、当初は懸念も多かったのだが、実際に世界中で利用されたことで、その安全性や有効性が実証されたと考えられている。もちろん、接種したＲＮＡがＤＮＡに変換されて細胞のゲノムに取り込まれてしまうなどの恐れはゼロではないのだろうが、世界中で膨大な数の接種が行われて、目立った問題が出ていないというのは、むしろ驚異的なことで、新技術が成功したことを表していると思われる。今後長期的に悪影響が出てくる恐れは皆無ではないが、最初の接種からすでに三年あまりが経過して、世界中で安全性が実証されたことにもなりそうだ。言い換えれば、世界中で人体実験をやって、結果的には大きな問題もなく、たまたま上手くいったということのようである。

一方で、有効性については問題が残っていて、このmRNAワクチンだからということではなく、どんなワクチンでも効力が時間とともに落ちてくるのはやむを得ない。中和抗体と呼ばれる抗体の量は、ワクチン接種後、時間が経つと減少し、そのため、感染してしまう可能性も高まるのだそうである。この話は、私たちがこれまで聞いていたワクチンの有効性の話とずいぶんと違うように思われる。つまり、はしかのワクチンを接種した人や、一度はしかになった人は、一生、はしかにはならないと思われている。どうもおかしい。私は大学の教員を長年勤めてきて、はしかが大学生にはやった時期、はしかの抗体価を測定してもらったことがあるが、非常に高い値だったので驚いた。おそらく、はしかの病原体をもっている学生がいつも少数いて、微量の病原体に常にさらされてきたことにより、高いレベルの抗体が維持されていたと考えざるをえない。もちろん、これも仮説であって、前に述べた後件肯定の誤謬のリスクは残る。はしかの場合は、常に、社会の中に少数の感染者が維持されていて、それにより他の人たちは高レベルの抗体をつくっていて、それにより発症を免れているのではないだろうか。教員のように多数の学生と接する機会のある職業の場合、さまざまな感染症をうつされるリスクと隣あわせなのだと実感した。

その点で、今回の新型コロナウイルスはだいぶ異なるように思う。抗体レベルが下がってくると、結局は感染してしまうらしい。ブレイクスルー感染と呼ばれている。はしかとは何が違うのかわからないが、身体の免疫のしくみは、教科書で説明される典型的な抗原抗体反応だけではないらしい。おそらく細胞性免疫や他のしくみもあって、感染を防いでいるのだろう。このあたりになると、感染症や免疫のしくみに関する科学知識もまだまだ未解明の部分があるようだ。科学に基づく知識が基礎にあって、その上で、さまざまな感染防止技術や治療技術が開発されているのだが、技術を工夫するだけでは及ばない、科学知識の不足も問題のようである。

もう一つワクチン接種に関して考えることがある。それは、若い人が果たしてどれだけワクチンを打つ必要があるのかということだ。五歳から一一歳までに関しては、あまりワクチン接種が強く推奨されておらず、実際に接種をした子供も少ないようだ。中学生や高校生、あるいは二〇代の若年層については、ワクチン接種の副反応がかなりひどいようだ。高熱が一日か二日続き、しかも、腕の腫れや痛みも伴う。ワクチン接種を三回もやると、全部で一週間くらい副反応に悩まされたことになる。これでは、ウイルスに感染して軽症で済む大部分の若者にとっては、「何のためのワクチンか」ということになる。三回目の接種が進まないのも当然である。従来の他のワクチンであれば、これほどひどい副反応が問題となることはなかった。やはりmRNAを使った新型のワクチンであるための問題点なのではないだろうか。私自身は高齢者に属し、四回のワクチン接種とも、腕の硬直感以外、特に発熱もなく、普通に暮らすことができたので、あまり気にならなかった。ただ五回目は熱がしばらく続いた。これだけ人によって副反応が異なるのは、やはりワクチンの技術が未完成だからというべきなのだろう。副反応が出ないようなものをつくるべきである。副反応が出るのは免疫反応が起きているためというのは恐らくウソで、やはり、使っている薬品の中に、炎症を起こしやすいものが含まれているのだろう。感染が一段落に向かっている段階で、是非、再検証してほしいものである。従来型のワクチンもそろそろ開発が追いついてきたようなので、従来型、つまり、抗原となるタンパク質を注射するタイプに切り替えたらよいのではないだろうか。

感染症に関わる科学と技術

ここまでで感染症関連のことばを説明しながら、その原因と対策についても述べてきたが、こうしたことには科学と呼べる部分と技術と呼ぶべき部分が混在している。ＰＣＲや抗原検査などの診断技術では工学的な技術も多く含まれるが、ワクチン製造ではもっと生物学的なノウハウが必要になる。一般に医学としてひとくくりにする中でも、治療に関しては技術的な要素が強い。酸素吸入やＥＣＭＯなどの高度医療技術は、原理がわかってもすぐに実施できるものではなく、具体的なトレーニングを受けた専門の看護師が経験を積みながらできるようになることである。テレビ番組での感染症の解説でも、科学的な部分は理論的に説明できるが、実際にどうやって感染を収束させるのかは、多分に技術的で、政治的な面も強い。一方で、感染者数の推移の予測をする数理系の研究者がしばしば登場したが、そういう場合は、単に知識を寄せ集めて、適当な数理モデルをつくって計算を実行するという、計算技術の面が強い。少なくとも、どのようにして正しい答えを導くのかという方法論があるとは思えない。過去の感染爆発事例などのデータで有効性が実証されたシミュレーションがあるのだろうか。きわめて単純化された数理モデル（連立微分方程式）の解説は見かけるが、実際のパンデミックをシミュレーションすることはまだ開発段階で、マスコミをつかって公表するようなものとは思えない。

コンピュータシミュレーション

ここで、コンピュータシミュレーションのことを取り上げておきたい。パンデミックのときに感染者の数がどのように推移するのかは、一人の人が感染したときに、隔離されるまでに何人の人にうつしてしまうかという数を決めれば、自動的に計算できる。このような単純な前提に基づいて、感染者数の増加を予測する基本的な計算方法として、ケルマック・マッケンドリックモデルがすでに一九二七年にできていた。これは一九一八年のいわゆるスペイン風邪の流行を記述する理論であった。こうした場合、微分方程式を数学的（解析的）に解いて、答えの式を導き、それをグラフに表すのが一般的だった。そうした場合、付加的な条件を考えると、解析的に解けなくなってしまうので、あまり難しい設定はできなかった。ところが、微分方程式を数値的に解く方法もあり、その場合は答えの式は出てこないが、グラフが出てくる。微分方程式は一瞬ごとの事態の動向（たとえば一日ごとの感染者数の増加）を式で表したものなので、それを積み上げていけば、感染者数の時間経過を推定することができる。細かい時間間隔で積算すれば、限りなく解析的な解に近いものが得られると期待される。細かい付加的な条件も加えることができる。ただ、それには計算の技術も重要で、要領よく微分方程式を解くことができる計算手法が開発されている。それだけではなく、簡単にコンピュータに計算させるための「コンピュータ言語」や、微分方程式を解くための「計算パッケージ」ができていて、計算科学の専門家でなくても、基本的な式を立てることができれば、すぐに計算できるようになっている。こうしたソフトウエアの開発に加え、ハードウェア（コンピュータの中で計算を担うCPUやメモリなど）の技術開発の結果として、コンピュータの計算速度も大幅に速くなった。

「新型」コロナウイルス感染症の蔓延とともに、コンピュータシミュレーションの結果が続々と発表されるようになった。その多くは、感染初期に感染者数が指数関数的に増えることを予測するもので、ただ単に、一人の感染者が何人の新たな感染者を生み出すか（基本再生産数R_0）というモデルで求められる結果だった。その場合、人流を八割抑制すれば基本再生産数も八割減り、これが1よりも小さければ、感染者数は減少する。この場合の「再生産」reproductionという言葉は、経済学でも資本の再生産など、指数関数で表されるものだが、「生産」という言葉がどうも気に入らない。同じ言葉は生物学では繁殖や増殖と訳され、動物の個体数が増えることや細菌が増殖することに使われる。感染問題では、再生産というのは感染者を新たに生み出すことであり、再生産という言葉のもつ内容とはかなり異なる。基本再生産数は、「感染拡大指数」などでもよいように思う。

ところが話は簡単ではない。この基本再生産数は理論計算で用いられる係数で、現実の感染症拡大では、本当の数はわからない。そのため、現実に感染者数が増加していれば、それに合うように、たぶん基本再生産数がこのくらいであるはずだという数字を求める。それが実効再生産数と呼ばれて、毎日のようにニュースで報道されていたものである。これは、現実の社会的な規制や人流抑制の結果として、感染が無制限に拡がらなくなった状況をそのまま表した数である。つまり、新規感染者数のグラフの増減の傾きを言い換えたものに過ぎず、何か特別な数字ということではない。

コンピュータシミュレーションは、感染者数予測だけではない。飛沫拡散の可視化にも使われた。今回のウイルスは、ウイルス粒子が単独で飛び散って感染を拡げる（空気感染）のではなく、唾液の細かい粒々に溶けた状態で飛び散ることで、他の人に吸い込まれて、感染を拡げる（飛沫感染）のだそうだ。これまで、大勢の人がいる空間は何となく人のにおいがしたり空気が悪いと思っていたが、実は、人々がはき出す呼気には細かい液滴が多量に含まれていたというのだ。早い話、同じ空間にいる人はみんな間接キスをしているということである。よく、教室の最前列に並ぶ真面目な学生に対して、教師のつばが飛び散るのにさらされているなどと揶揄することがあるが、そんな程度ではない。なんと気持ち悪いことだろうと思ったが、ともかく、一人の人が話をしたり、くしゃみや咳をしたりすると、とてつもない数の飛沫が飛び散るのだそうである。

飛沫は実際に観測することもできるようで、感染対策として、劇場などでは、実際に歌ったり台詞を言ったりしたときの飛沫を特殊な技術で可視化して、どの程度まで飛ぶのかを調べたそうである。これに対して、テレビでよく紹介されたのが、理研などの研究グループによる飛沫拡散のシミュレーションで、向かい合って会食する場面や、混雑した電車の車内などを考えて、そこでどんな具合に飛沫が飛んでいくのかをコンピュータで推定したものである。これは非常によくできていて、見事なグラフィックスで表示されるので、なるほどと思いがちである。ゲームやアニメを見慣れた世代にとっても受け入れやすい映像となっている。ところが、コンピュータによる計算というのは、あくまでもどんな微分方程式を立てるか、どんな飛沫のサイズを想定するか、最初にどんな速度で飛び散るかなど、さまざまな前提条件や仮定に基づいている。どんな結果でもつくることができると言っても過言ではない。マスクの性能比較なども示されることがあるが、マスクはどれだけきちんと装着しているかによって、話は全く違ってくるはずである。不織布マスクはよいが、布マスクはよくないなどと言うが、不織布もきちんとつけて、脇から漏れがないようにしなければ意味がない。電車の乗客などを見ていても、隙間だらけの人は多い。さらに驚いたことに、くしゃみをするときにマスクを外す人がいる。スマホで電話するときもマスクを外している。たしかに邪魔なのはわかるが、何のためのマスクなのかと思う。

シミュレーションは万能ではない。コンピュータで処理するとどんな画像でも作れてしまう。飛沫拡散のシミュレーションでは、きちんとした実験を行ってその結果をどの程度計算で再現できるのかを調べてほしかった。普通の科学論文なら、単なるシミュレーションではなく、何らかの形で実験データとのつきあわせをするものである。その上で、実験ができないような特別な条件に関してシミュレーションで予測するというのはありうるだろう。何も実験データがないままに、単に物理法則だけを基にして飛沫拡散のシミュレーションをして、その結果をもっともらしい映像で見せるというのは、素人だまし（つまり偽科学）以外のなにものでもない。

シミュレーションの難しさ

たしかにコンピュータを使って行う計算は、前提条件や数式に誤りがなければ、速くて正確である。しかし、現実の問題を扱うときには前提条件がすべてきちんとわかるわけではなく、また、計算に用いる数式も正確なものとはならないことが多い。新型コロナ感染症に関して考えられることを図示してみると、**図2**のようになる。これはあくまでも頭で考えた、最低限考えられることであり、実態はもっと複雑なことはいうまでもない。大人なら、昼間働く職場以外に、夜は飲み屋に行ったり、趣味のサークルなどに参加したりして、夜は家に帰るだろう。若者なら、昼間は学校、夜は塾や習いごと、友だちと遊ぶなどして、夜は帰宅する。幼児なら昼間はこども園、子供によっては午後は公園で近所の子供たちと遊び、そして夜は家庭に戻る。このように、一人の人間が複数の異なる集団に参加しているのが一般的で、人間のつながりはきわめて複雑なネットワークとなる。そのとき、たとえば、グレーに塗った飲み屋で感染が拡がったとすると、そこに参加していた人は家庭に持ち帰って、家族にうつし、その家族は別の職場や学校、あるいはこども園にいって、他のメンバーにうつし、などなどという連鎖が働くので、気がつかないうちにあっという間に、直接会っていない人にも感染を拡げることになる。感染拡大の時にはこんなプロセスが働くのだろうが、それぞれの場所（丸で示したもの）での感染確率はそれぞれ異なるだろう。そうなると、感染確率の高いところで、集中的に感染拡大が起きることになる。おそらく変異株のそれぞれの性質によって、どんな場所の感染確率が高いのかは

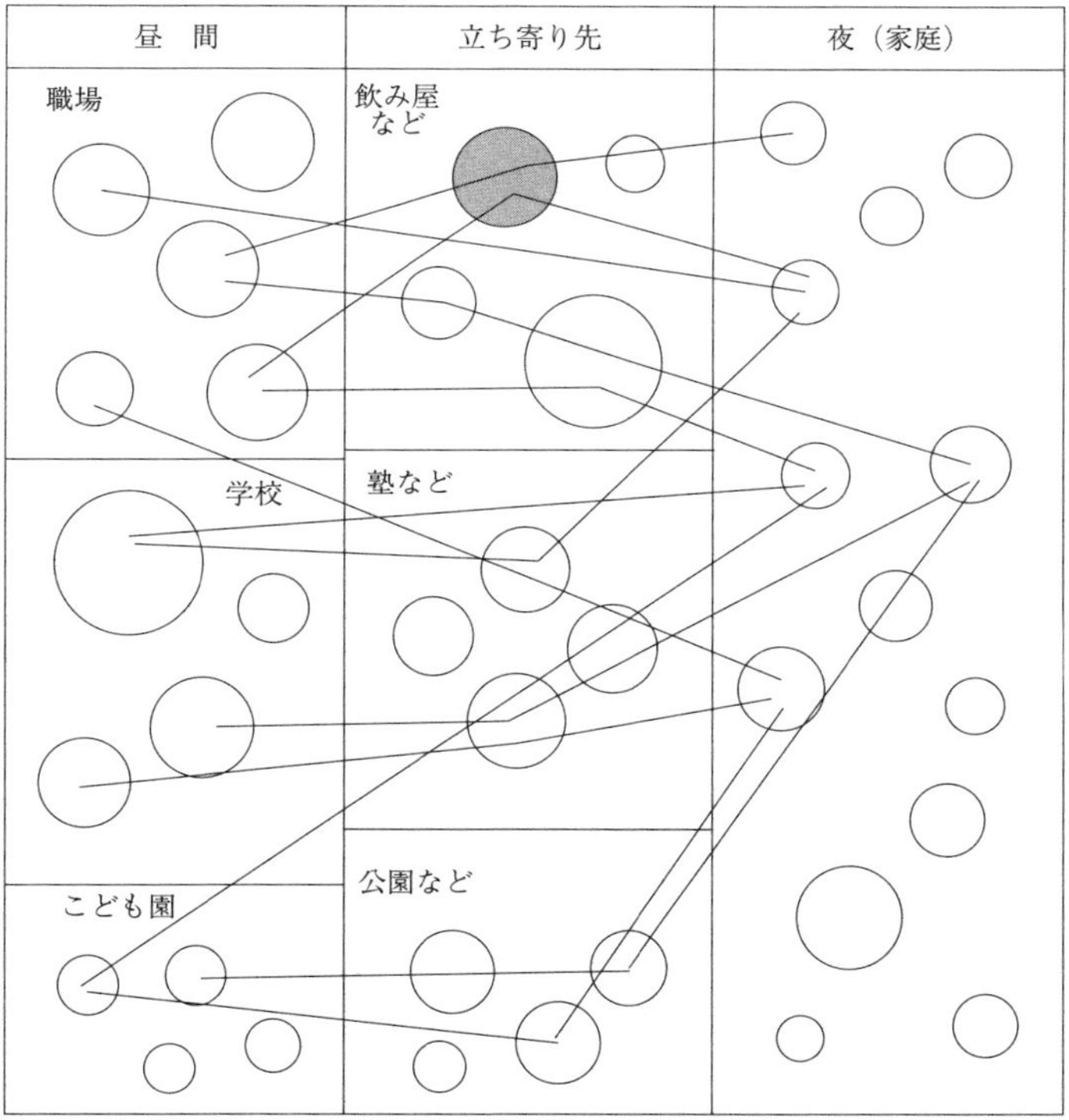

図 2　人間集団の複雑性と新型コロナ感染症の感染シミュレーションの難しさ

それぞれの丸は集団を表し、線は一人が昼・夜・さまざまな立ち寄り先で異なる集団に属することを示している。一人の人は、さまざまな集団に属している。たとえば灰色にした飲み屋で感染が広まると、たちどころにさまざまなところに感染が広まる可能性がある。普通のシミュレーションでは、こうした集団間の複雑なつながりは考慮されていないし、考慮しようとしても、変数が多くなりすぎて、実態と合わせることもできない。

異なるだろう。こうして、それぞれの変異株ごとに、感染確率の高い場所を中心として感染が拡大し、その後、それらの場所に参加していた人たちが一通り感染するなり、自粛するなりすることにより、感染拡大は遅くなると考えられる。もちろんこの図式にはまだまだ足りないところがあって、職場が学校だったり飲み屋だったりすることもあり、老人ホームなどはもう少し違ったことになると思われる。仮に、マイナンバーカードが完全に普及して、それぞれの人の所属グループが克明にわかったとすると、こうしたネットワークをほぼ完全に再構築することができて、感染経路を完全に追うことができるかもしれない。ひところの台湾や韓国で行われたITを使った調査をもっと徹底したものとなる。しかし、当然のことながら、そんなネットワークは手に入らないし、一億人のネットワークで実際に計算ができるとも思えない。

このコロナ禍でさまざまな計算科学者が感染者数のシミュレーションを示していたが、誰もこんなことは考えていない。感染しやすい集団とそうでもない集団に分けるとか、何らかの形で、複数の集団に分けて計算することはできるはずだが、それでも、その集団の人数も感染確率もわかる訳ではなく、あくまでも仮想的なものになってしまう。また、いくら集団に分けても、それだけでは結局、単純な計算の場合と式の形は同じになってしまうことも多い。集団間の複雑なつながりをうまく簡略にモデル化できればよいだろうが、それも容易ではない。特に、感染の現場を知っている専門家と計算科学の専門家は全く別で、経済学部や工学部でシミュレーションを発表していた人たちはおそらく感染者を見たこともないかもしれない。コンピュータシミュレーションが難しいのは、コンピュータが悪いわけではなく、それをうまく使いこなすことが非常に難しいためである。しかし、もう少しうまくモデル化ができれば、本当は感染の波をもっとうまく再現できたのではないのかとも思う。いずれにしても、専門家といえども、緊急事態にいきなり的確な計算をしてみせることは難しいということを、一般の方々も理解する必要はあるだろう。

第七章　新型コロナ感染症の複雑さ

繰り返す感染の波

議論を具体的にするために、感染の波の実態を簡単にまとめてみよう。**表1**には、東京都における新規感染者数の推移に基づく感染の波をまとめた。地方によって感染の伝わり方が異なるため、全国での統計では、波がなだらかになる傾向がある。ここでは東京都に絞って、感染拡大の速度と収束の速度を比較してみた。だいたい一年間に二度か三度の波があり、二〇二〇年、二〇二一年、二〇二二年と、ほぼ同じ頃に山があることもわかる。それぞれの波は異なるウイルス株によって引き起こされているので、定期的に新しい変異株が入ってきて（または生成して）、新たな感染の波をつくっていることもわかる。倍加日数と半減日数は、報道ではあまり出てこないので、少し説明しておく。上にも説明したように、感染拡大は、一人の感染者が何人にうつすかという基本再生産数を係数とする指数関数に従っているはずなので、感染者が二倍になる日数が一定となり、それは基本再生産数と逆比例する。ほかに、他人に感染させうる期間なども関係するが、大きな変化はないと思われるので、一定の係数として扱うことができそうである。一つの感染の波における感染拡大はほぼ一定の倍加日数で記述できるため、ほぼ一定の基本再生産数つまり感染の広がり方で支配されていることになる。つま

表１　東京都における新型コロナウイルス感染症新規感染者数の推移

	ピーク日付	ピーク日感染者数	倍加日数	半減日数	流行期間の総死者数	主なウイルス株
第１波	2020年４月18日	206	7.7	6.2	304	野生株 B
第２波	2020年８月２日	472	8.3	28.9	132	B.1.1.284
第３波	2021年１月７日	2520	15.7	15.4	959	B.1.1.214
第４波	2021年５月８日	1126	17.0	21.0	802	アルファ B.1.1.7
第５波	2021年８月13日	5908	10.1	8.8	977	デルタ B.617.2
第６波	2022年２月２日	21562	4.0	40.8	1368	オミクロン BA.1
第７波	2022年７月28日	40395	7.0	26.7	865	オミクロン BA.2, BA.5
第８波	2022年12月27日	22063	15.6	11.2	1658	オミクロン BQ.1.1 デルタ AY.29

注：全国よりも波が明瞭になるので、東京都のデータを使った。
（出典）NHK特設サイト「新型コロナウイルス感染者数グラフ」より筆者集計。第８波については、東京都「新型コロナウイルス感染症対策サイト」より。ウイルス株については、東京都健康安全研究センター ウイルス研究部ウェブサイト「全ゲノム解析」による。三菱総合研究所ウェブサイトコラムも参考にした。

り、これは比較的単純な理論的なモデルがある程度当てはまることを意味している。感染拡大の倍加日数は、ウイルスの性質と人々の行動様式によって決まってくると考えられ、それらが感染拡大の期間中ほぼ一定であることを意味している。ただし、理由はよくわからないものの、どこかで感染拡大はとまる。また、感染が収束していく場合にも、半減日数はほぼ一定の値で推移するようだが、その理由はよくわからない。ブレーキの掛かり方がほぼ一定のペースだということになるが、人々の暮らし方と感染力の微妙なバランスでこのようになるのだろう。倍加日数と半減日数がだいたい同じくらいの値になる第一波、第三波、第四波、第五波と、半減日数が著しく長いその他の波があるのも不思議である。感染力が強ければ，倍加日数は少なく，半減日数は多くなるはずなので，後者の方が納得できるように思う。第六波で死者数が非常に多いのは，倍加日数が非常に短く，感染拡大が非常に速かったためかもしれない。しかし，二〇二〇年に世界的流行が起きたときに，イタリアなどでは，倍加日数が二日と，きわめて短かったことを考えると，倍加日数が最短でも四日という日本（このデータは東京だが）での感染拡大には，常に一定の制限が加わっていたこともわかる。それがマスクなのか，生活習慣の違いなのか，ワクチンなのかははっきりわからない。

いずれにしても，このようにして，データがあるとさまざまな解釈ができるが，それは一定の科学的知識に基づくアブダクションである。ここに書いたような仮説を専門家もそれぞれに考え，それを検証しようとするのだが，結局は本当のことはなかなかわからない。それを科学の無力さというのかというと，それは人々が科学に期待するものが違うからだろう。科学というのは，さまざまな仮説を生み出し，検証していく活動そのものだからである。データが与えられたときに正しい科学的説明がすぐに与えられないとしても，それは科学の本質がそういうものだからである。あるいは，これは科学だけでなく，感染症とどう具体的に向き合うかという医療技術・疫学の問題でもある。技術も，問題が生じたからといってすぐに解決策が見いだせるわけではなく，さまざまな可能性を模索しながら，本当の原因に迫る対策を打つか，あるいは最低限，対症療法となる対策を考えるわけである。誰も神様ではないので，いきなり正解を出せるわけではない。一般の人が専門家に寄せる期待が強すぎるのも事実だろうが，専門家が怠けているわけでもない。試行錯誤を繰り返しながら正解に近づくのは，専門家といえども，本来そういうものと考えるべきである。以下では，そのあたりの状況をもう少し詳しく説明する。

誰にも説明できない感染爆発と感染収束

二〇二〇年の間は、感染症の専門家と言われる人々が、このままだと感染者数が爆発的に増えてしまう、だから行動抑制をして、人流を減らさなければと、毎日のように訴えていた。当時、北海道大学の西浦教授（その後京都大学に異動）などは、その急先鋒だった。本来、厚生労働省の感染症専門家の委員会のメンバーであったはずだが、委員会とは別に、個人的にメディアなどを通じて、危機を訴えていた。当時は総理大臣もそれに乗せられて、人流を七割抑制などと言っていた。しかし、「人流」とは何だろうか。街を人が歩いていることが人流のように、一般人には映った。テレビ番組では、渋谷のスクランブル交差点を人々が歩いている姿が象徴的に放映された。しかし、街を歩いているだけで感染するわけがない。つまり、人流という言葉の意味は、街に出て人と会い、話をし、近い距離で接触することだったはずである。しかし、専門家というのは頑固で、言葉を言い換えない。ずっと人流という言葉を使い続けていたのだが、二年ほど経ったある日、分科会の尾見茂会長は、突然、「街を歩いていても感染するわけないでしょう」と言い出した。重要なのは、一緒に会食し、マスクをしないで面と向かって話をすることだというのである。それには批判もあって、あとで弁解もあったが、どうして、そういう本質的な解釈を最初から言わなかったのだろうか。私自身は、人気（ひとけ）の少ない地元の道を歩くときは、マスクをしないでいた。必要なときにマスクをすればよい。要するに、どういうときに感染しうるかということに敏感になるべきだと考えたからである。そして、実際、二〇二二年の夏を過ぎると、政府も、街中（まちなか）でマスクをする必要はないと言い出した。外国では誰もマスクなどしないので、その違いが際立ってきたからである。二〇二三年三月からはついにマスクの着用は自己判断になってしまった。しかし、大部分の人々がマスクをやめる気配は見られない。

感染拡大状況がなかなか説明できていないのは事実である。たしかに初期の頃、誰も対策をとらない状況では、予測計算はある程度当たっていた。しかし、一番驚いたのは、二〇二一年夏の大きなピークが九月になって下がっていったときである。街中の人々の数としての人流は全く減っていないにもかかわらず、新規感染者数はどんどん減っていった。世の中ではこれをワクチン接種が進んだ効果と言うことが多い。しかし、この減少のしかたは奇妙で、二カ月間にわたって、実に見事に、減衰率（半減日数の逆数）が一定値をとる指数関数で表すことができた。ワクチン接種はこの間にもどんどん進んでいたので、減衰率の絶対値はだんだん大きくなってもよいはずである。どうも不思議なことだった。一方で、第六波はなかなか収まらなかった。三回目のワクチン接種が50％くらいに達しても、なかなか新規感染者数は減らない。第五波のときとは様相が異なる。その後、第八波はきわめて感染しやすいオミクロン株による感染大爆発が懸念されたが、死者数は多いものの、感染判明者数はあまり多くなかった。感染者数が多くないのに死者数が多いのは、わからない感染者が多数いるからだという専門家の意見が何度も聞かれた。しかし、判明している数の倍加日数はあまり大きくなく、半減日数もかなり短かったことから見ると、想定されたほどにオミクロン株による感染大爆発は起きていなかったと考えてよさそうに思われる。もちろん、報告された感染者数が本当の感染者数と全然違っていれば別だが、報告される比率は大きく変わらないか、あるいは全体数が増えたときに多少比率が下がったと考えれば、倍加日数や半減日数の推定には大きく影響しないと思われる。結局、こういう現実の感染者数はモデル計算で理解できるようなものではないのかもしれない。少なくとも、どこで感染が拡がっているのかがつかめていないということだろう。感染拡大のしくみがわからなければ、数理モデルも立てられないし、計算式もつくれない。

これに関連して、社会の不平等を組み込んだ計算をするべきだという論文も出ていた。そこで取り上げられていたのはアメリカの場合で、感染が拡がり、重症者が増えるのは、人種差別や経済格差が関わっているというのである。また、世界全体を見れば、国による貧富の格差も歴然としている。そうした状況で、国ごとに感染対策も異なるし、ワクチン接種の拡がりも異なってくる。そうしたことを踏まえて、シミュレーションをしたり、対策をとったりすべきだというのが、その論文の主張であった。日本の場合でも、実際に感染を拡げているのは若年層で、重症化するのは高齢者というような話が出てきた。しかし、若者は自分は感染してもたいしたことにはならないので、感染対策のために、友だちとつきあうのをやめたり、外出するのをやめたりという発想にはならない。たぶんこれもかなり現実で、若者の行動状況の割には大して感染はひろがっていない。一〇代の中高生が拡げている可能性も言われたが、言うほどに大爆発はしていない。専門家の苦言に対して、若い人々が反発するのも当然である。ウイルス感染というのは、一筋縄では理解できない複雑な過程のようである。

オミクロン株の新たな性質

オミクロン株はこれまでのSARS-CoV-2ウイルスの変異体群の中でも、抜きん出て変異の数が多く、それが二〇二一年暮れに南アフリカで発見されると、あっという間に世界中にひろまってしまった。この株の特徴は、それまでの他の変異株が肺炎を起こすものだったのに対して、肺炎ではなく、上気道と呼ばれるのどの奥あたりで激しい炎症をおこすことである。そのため、症状としては軽いと見なされるようになった。もともとＳＡＲＳもSARS-CoV-2も、重い肺炎を引き起こすが故に致死性が高いと恐れられたので、今やインフルエンザとあまり変わらないものになったと見なす人も多い。

その代わり、感染の勢いは非常に速く、それが日本中で猛威をふるう結果となった。オミクロン株にはBA.1, BA.2, BA.5などの系統があり、それぞれかなり異なるが、それでも共通して、他の変異株に比べて非常に変異の数が多い（数十）ことが指摘されている。中でも、細胞表面の受容体といわれるＡＣＥ２タンパク質に結合するスパイクタンパク質には三〇以上の変異があり、そのため、スパイクタンパク質をもとにつくられたワクチンによって体内につくられた抗体との反応性が低くなっている。普通に考えれば、これだけの変異があれば、受容体との結合も悪くなってもおかしくないのだが、なぜか受容体とは結合し、それでいて抗体との結合は弱くなっている。

二〇二二年秋からの新たなオミクロン株の感染爆発（第八波）については、年が明けると速やかに収束の方向に向かった。詳しいことはまだはっきりわからないが、新たに公表されたオミクロン株の系統樹（図3）を見ると、初期に感染が広まっていた頃の、アルファ、ベータ、ガンマ、デルタなどの株に比べてはるかに進化距離が長いことがわかる。進化距離とは、変異の数の尺度である。詳しい

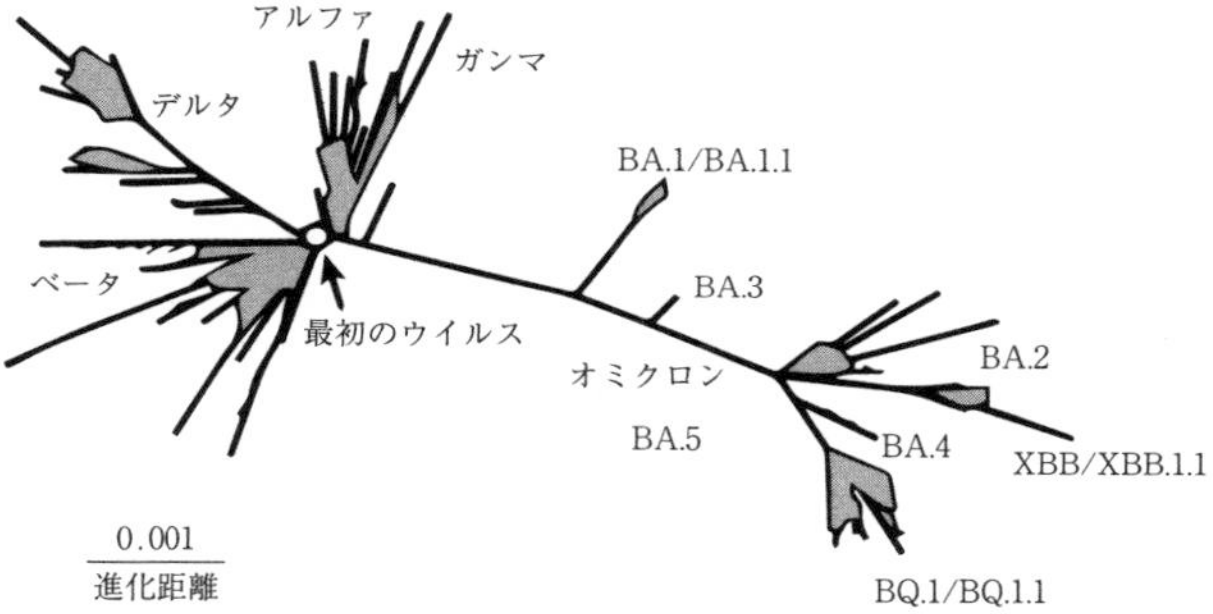

図３　オミクロン株を含めたSARS-CoV-2ウイルスの系統樹
（出典）　Wang et al. 2023を改変・日本語化。

ことはここでは省略するが、変異が多いほど、進化を表す線の長さも長くなる。新たなオミクロン株であるBQ.1やXBB.1などはその先端に位置している。ウイルスの詳しい研究によって、これまで使われてきたワクチンでターゲットとなっていた部分の構造が大きく変化して、従来のワクチンによって体の中でつくられた抗体が十分に結合できないものに変わってきていることがわかっている。

そもそもウイルスを受け入れる「ための」受容体がなぜ存在するのかと疑問に思われるかもしれない。これは言葉遣いの問題で、本来、ＡＣＥ２というタンパク質は細胞表面にあって、アンジオテンシンという一種のホルモン物質による正常なシグナル伝達に働く物質である。最近の論文によれば、ＡＣＥ２は細胞のエネルギー産生を高め、熱を発生することで、体を温めるしくみに働いているらしい。ウイルスは、こうしたもともと細胞に備わっている物質を標的にして結合し、それを足がかりとして、細胞内に侵入するのである。ヒトに感染するウイルスにはさまざまなものがあるが、それぞれが、異なる標的タンパク質に結合することで感染が始まる。人間の立場からいうと、こうしたタンパク質は受容体でも何でもないが、ウイルスが細胞内に侵入する際のしくみを説明する機械論的なモデルを考える際に、ウイルスの受容体という役割を与えていることになる。

ウイルスの変異と受容体との結合の関係は簡単には理解できないことだったが、オミクロン株のスパイクタンパク質の構造を精密に調べる研究が進められ、ＡＣＥ２との結合の仕方が少し変わっているものの、結合強度は増していること、それに対して、抗体が認識するターゲット部分の構造は大きく変化していることなどがわかったそうである。これは一つのタンパク質の構造を調べる研究なので、実験室内で詳しく調べればわかることであり、こうした知識がすぐに出てくるのは、現在、構造生物学という分子構造を詳しく調べる研究分野が発展していることの成果でもある。

一方で、なぜオミクロン株が肺炎を起こしにくいのかについては、まだ諸説あるようである。もともと肺にはＡＣＥ２は少ないのだが、ウイルスがＡＣＥ２に結合した後に細胞内に入る過程で働くＴＭＰＲＳＳ２という因子は肺に多いのだそうだ。オミクロン株はＴＭＰＲＳＳ２に依存しない経路で細胞に入る性質が強いため、肺には感染しにくいという考え方がある。また、感染時には、スパイクタンパク質が特殊な構造変化を起こす必要があるが、それがオミクロン株では多量のＡＣＥ２がないと起きにくく、それで肺に感染しにくいという考え方もある。

オミクロン株の起源の謎

オミクロン株がどうして生じたのかについても疑問が深まっている。世界中で多数の感染者から単離されたウイルスの塩基配列の解析が行われ、大部分のウイルス変異株は、どこでどんな順番で変異が加わっていったのかという途中経過がたどれるようになっている。図3でもわかる通りである。しかしオミクロン株の変異数はきわめて多く、他の変異株とは大きくかけ離れたものとなっていて、その途中経過に対応する変異株が見つからない。奇妙なミステリーである。これを説明する説には次のようなものがあるが、あくまでも研究者の憶測に過ぎず、明確に根拠のある説ではない。

①これまで詳しく塩基配列が調べられたウイルス株は全体の一部に過ぎず、オミクロン株ができる過程のウイルスはたまたま分析対象に入っていなかった。そのため、多数の変異をもったオミクロン株が突然出現したように見えた。

②新型コロナウイルスに感染後、長期にわたって療養を続けていた一人の患者の体内でウイルスの変異が蓄積して、多数の変異をもったウイルスがつくられた。

③新型コロナウイルスが動物に感染し、その動物の仲間の間で感染が拡がる間に変異を蓄積し、そのあと、再びヒトに感染した。そのため、ウイルスが変異する「進化過程」はすべて動物で行われていて、解析対象となっていなかった。

こうした考えはどれも「仮説」の域を出ない。科学理論が形成される際に行われるアブダクションという過程の最初の段階、つまり、考えられる説明を列挙するという程度のレベルのものである。科学的な仮説は、こうした荒削りな仮説をさらに吟味し、その上で、検証にかけなければならない。検証できなければ、単なる憶測どまりである。普通の科学研究のプロセスでは、こうした過程は長い時間をかけて行われる。しかし、ウイルス感染症の蔓延という緊急事態の中で、駆け足でさまざまなことが進められていて、本来の科学研究のやり方がおろそかになっている面も否定できない。

新型コロナ後遺症の不思議

今回の新型コロナウイルス感染症（COVID-19）の拡がりの中で、あまり注目されなかったものの、深刻な問題がある。それは後遺症である。当初、COVID-19は、新型の急性かつ重篤な肺炎として認識された。ところが、症状は人により異なり、特に若い人では肺炎が重篤化することはあまりないことがわかった。さらに、オミクロン株の登場により、感染が肺の中に進むことは少なくなり、むしろ上気道の炎症に限定されることがわかってきた。ところが、肺炎を伴わない比較的軽い感染の場合であっても、味覚や嗅覚がなくなるなどの症状が多く見られることがわかった。また、稀には脳症により亡くなる患者も報告されていて、これは、年齢によらないようである。さらに、一般的なCOVID-19の症状がなくなり、治癒したように見える人でも、しばらくして、後遺症に悩まされるという事例が多数報告されるようになった。これには味覚・嗅覚の問題以外に、脱毛や脳症、全身のだるさなどがあり、感染症そのものは治ったと思われても、その後数カ月にわたり、さまざまな症状に悩まされる人々がいることが問題となっている。これにはまだ明確な原因がわかっていないらしく、ウイルスによって破壊された組織がダメージから回復できない場合もあるようだが、一方で、まだウイルスが体内に残っていて症状を起こしている可能性も指摘されている。この可能性は、ワクチン投与によって後遺症が軽減される例からも支持されている。

こうした中、感染によって脳に変化が起きていることを示すデータが*Nature*誌に報告されている(Douaud et al. 2022)。これはイギリスのBiobankと呼ばれる人体に関わるさまざまなデータを集めている機関の報告であるが、ＭＲＩを使った脳の検査を定期的に行っている人のうちで、途中で感染があった人となかった人の画像を詳細に調べた結果、脳の特定の部位の厚さが、感染後に薄くなっていたというもので、その薄くなり方は五〇歳から七六歳にかけてだんだんと大きくなっていた。これが味覚・嗅覚に関連した脳の部位であれば、話は単純だが、どうも、何をしている部位なのかはわかっていなくて、このことが何らの臨床的な所見と関連するわけではないらしい。その意味では、何を示すデータなのかはわからないが、もしかすると、特に高齢の場合に、感染によって不可逆的な脳の変化が引き起こされている可能性があるらしい。

こういうことがあるとなると、これまでもさまざまな感染症のあとで、身体に後遺症が残ってきているのではないかという疑いが出てくる。われわれは普通の生活をしている中で、インフルエンザには数年に一度くらいかかることがあるが、それ以外にも、風邪は一年間に数回かかるだろうし、それ以外にも、食中毒などいろいろな感染症にかかる。そうした場合、数日から一週間くらいして、その病気が治るとそれでその感染源とは縁が切れ、免疫だけが残ったように思うのだが、ことによると、しばらくして、後遺症が起きることは考えられる。インフルエンザでも脳症で亡くなる人がいるほかに、あとあとまでウイルスが悪さをする可能性は残っている。食中毒でも、鶏肉でよく知られたカンピロバクター感染症などでは、稀な後遺症が知られている。風邪といってもウイルスによるものである以上、後遺症があり得ると思うのだが、あまり考えられていないようだ。一方で、世の中には理由がわからないままに起きる難病もさまざまにあり、それらの中には、もしかすると、何でもない症状しか起こさない感染症の後遺症もあるのかもしれない。全くの素人勘ぐりだが、感染症はまだまだわからない怖さがあるのかもしれない。後遺症まで考えると、感染症に関してわかっていないことは非常に多いのではないだろうか。今回のCOVID-19は世界中で同時に感染が広まり、世界中で研究や感染対策が行われたという意味で、世界レベルの大実験でもあった。そういう中で、これまで散発的に起きていた感染症の流行では明確に捉えられなかった問題がわかってきたのだろう。医学は科学ではなく技術だということは、こうした面でも表れている。実際にどういう感染が起き、それにより何が起きるのかは、いくらウイルスを調べてもわからない。現実に症状が出て初めて、問題が把握されるからである。新製品の技術開発で、実際の使用場面ごとにさまざまな問題点を拾い上げて問題解決をするのと同様、実際の症状を見ながら次の手を考えるほかはない。しかし、考える背景には、さまざまな科学的な知識があることも事実である。知識を如何に現実に対応させていくのか、医療は簡単ではない。

第八章　コロナ禍で変化した科学と技術

著者原稿論文の評価

今回の新型コロナ感染症関連の科学的論文の多くは、研究者が書いたままの公開原稿（バイオアーカイブbioRxivというところなどにまとめられている）として公表され、審査を受けて受理される普通の意味での科学論文ではなかった。それがいくつかのきちんとした科学雑誌の意見欄などで取り上げられて、議論の対象となってきた。こうした公開原稿の多くは、どれかの専門科学雑誌に投稿されて、審査を受け、正式な論文になる過程を進んでいくが、それにはある程度時間がかかる。この緊急事態では、中身に問題があるかもしれないものの、新たな研究結果は一刻も早く他の研究者が参照できる形になった方がよいということで、このような公開原稿の形となっていた。これは生命科学関係では新しい流れだが、他の研究分野、たとえば、数学などでは、昔から行われているやり方のようで、著者が論文を書くと、まず、研究者コミュニティに公開される。その後、さまざまな研究者が内容を詳しく検討して、妥当なのかを判断し、意見をつける。こうしたことがくり返された上で、その論文には修正が加えられることもあり、また、間違いが発見されて取り下げられることもあるだろう。これは数名の審査員だけでは内容を厳密に判断できないという分野の性格によるのかもしれない。

これに対して、従来の生命科学関連分野の研究では、実験データそのものがマル秘事項で、どんな実験をやったのかやどんな結果になったのかなどを公開すれば、すぐに他の研究者にまねされて、自分のプライオリティ（先取権）が確保されない恐れがあった。そのため、論文が投稿されて審査が行われる過程でも、審査員にも守秘義務があり、最終的に論文が出版されてはじめて、その詳細が明かされるのが普通だった。数学や理論物理などの分野では、新しいアイディアを最初に考え出した人の権利を守るには、まず公開してしまうのがよいということなのだろう。一方で、生命科学分野ではアイディアは評価の対象にはなりにくいというか、いくらでも奇想天外なアイディアを思いつくことはできるので、面白い考え方を書いて論文にするということはなかなか認められない。その考え方に基づいた実験を実際にやって、それで期待したような成果が得られて初めて論文として投稿できるようになる。もちろん、理論研究でのアイディアと実験研究でのアイディアではだいぶ質も違うので、オリジナリティがどれだけ認められるかということもかなり異なるのであろう。

その一方で、生命科学関係の論文の世界では、審査過程で、審査員が自分の研究室で確認実験をするというようなことが横行している。審査をする研究者は、普通は同業者、つまり、同じ分野の研究をしている人であることが多いので、審査対象となる論文の中身が自分の研究にも直接関係する場合がある。特に、自分も関心がある内容だと、審査対象の論文に難癖をつけて審査を長引かせ、その間に、同じ内容の研究を自分でも進めておくということが考えられる。中身を盗んで自分の論文として新たに発表するということもありえなくはないが、そこまで悪くなくても、トップレベルの研究に少しでも早く追いついておくというメリットはあるかもしれない。中身を盗まないまでも、審査している論文が公表されるまえに、その内容を予め知ることができるわけなので、自分の研究を進めるのにも有利に働くのはまちがいない。

近年、研究の競争が厳しくなっている状況で、こうした論文審査の問題はやむを得ない面もある。それを見越して、研究論文を投稿する側も対策はとっていて、論文を投稿するときには、その先の研究をどんどん進めるのが普通である。一方で、特殊な技術やノウハウを必要とする特殊な先端的研究では、世界の主要な研究室の間で研究情報を伝え合い、互いのメンツが立つ形でそれぞれの研究を進めるということもあるようである。つまり、一種の闇カルテルである。それぞれの研究論文がきちんと発表でき、研究成果が認められて、新たな研究費の獲得ができるのであれば、それぞれがうまく認め合ってもよいわけである。その場合、後発の研究者が論文を書くと、よってたかってたたかれ、すぐに論文が出版できない状況も生まれる。こうしたことは、比較的小さな研究分野ではよく見られるように思う。

論文公開にまつわるそうした問題の打開策として、bioRxivというしくみがつくられた。ここには、著者の責任で論文が投稿され、そのまま公開される。それに対して、誰でもコメントをつけることができる。こうしておいて、著者は何らかの科学研究雑誌にその論文を投稿して審査を受ける。審査過程では、もともとのbioRxivの原稿そのものを利用することも増えている。もちろん、審査過程での意見を受けて改訂された論文は、紙の形やオンライン書類の形で出版社から公開され、その中身はもとのbioRxiv原稿とは異なっている。その意味では、つくりかけの論文とも言えるのだが、新しいアイディアや研究成果を速やかに公開し、著者のプライオリティを確保するのには有効なしくみである。

ただ、これまでは、こういうしくみがあっても、bioRxivの原稿はあくまでも最初の原稿で、それを研究成果として引用することはあまり行われていなかった。

これに対して、今回の新型コロナウイルス感染症問題をきっかけとして、bioRxiv原稿をもとに感染対策が議論されるようになってきた。一方で、言いっ放しの研究成果に翻弄される状況が続いているとも言える。すでにパンデミックが三年を超え、最初の頃に公開された論文について、その中身の妥当性の吟味も始まっている。bioRxiv原稿と、それが最終的に完成論文となったものとを比較して、データは同じか、主張は同じかなどを比較するのである。その比較を、コロナ関連以外の論文でもやってみて、コロナ関連論文でだけおかしなことが行われていないかを検証したという論文がある。その結果は比較的穏当なもので、データや結論には大きな変更はなかったとされる。ときどきＮＨＫの特集番組などでも、bioRxivの膨大なデータを統計解析して、新型コロナ感染症への対策の助けにしようとしていたが、当初懸念されたほどに大きな間違いはなかったのかもしれない。

公開原稿のしくみは生命科学分野では比較的新しいものなので、どの程度うまく機能するか懸念されたところであるが、今のところ、うまく機能しているようである。それでも悪意のある研究者なら、こうしたしくみを悪用することは簡単で、それに対しては、世界中の研究者が目を光らせていなければならない。

新型コロナ論文の大爆発

生命科学関連の論文の大部分は、アメリカの国立図書館と厚生省が共同してつくっているＮＣＢＩ

表2　新型コロナ関連論文数の推移

	COVID-19または SARS-CoV-2という言葉が		検索論文総数
年次	タイトルに含まれる	要旨に含まれる	
2018	0（9）	0（9）	29194
2019	0（6）	0（13）	30126
2020	813（1090）	585（616）	29666
2021	1283（1362）	1268（1321）	31266
2022	851（ 882）	985（1026）	30324

注：括弧内は“coronavirus”も含めた場合の論文数を示す。

（国立生物技術情報センター）が構築しているPubMed《パブメド》と呼ばれる公開データベースで概要が紹介されていて、誰でも参照できる。このデータベースを使って検索をすると、新型コロナ関連論文の数や推移を見ることができる。主要な三二の生物学関連雑誌（bioRxivは含まれない）について、論文タイトルや要旨にＣＯＶＩＤ-19またはSARS-CoV-2という言葉が含まれる論文の数を調べたところ、**表2**のようになった。なお、検索した雑誌には医学関連でないものも含まれるので、専門分野の雑誌であれば、比率はもっと高いはずである。

二〇一九年以前でも、ＳＡＲＳなど、以前のコロナウイルス感染症関連の論文が、毎年一〇報程度出ていたものの、二〇二〇年になると急に増え、二〇二一年にはコロナウイルスに関連した論文の数の比率は４％を越え、かなりの勢いでコロナウイルスに関連した論文が出版されていることがわかる。有力な科学雑誌でも、新型コロナ関連論文をまとめて収録した特集号のようなものが時々組まれている。ただ、このコロナブームも二〇二二年になると少し落ち着きはじめている。今でも多くの新型コロナ関連論文は見かけるものの、少しずつ減少しているようである。

コロナ禍をめぐる科学と技術、政策

ネットではデマが飛び交い、専門家の間でもさまざまな意見が乱立する中、政治は何らかの政策を実現していき、結果としてパンデミックを軽減・収束させていかなければならない。最後は、結果がすべてであるというのも、社会の現実である。では、どうやって結果につながる政策を打ち出し、実行するのか。ともすれば、政策担当者の思い込みや思い入れに頼る部分が多い。二〇二二年はじめ、有力な英国の科学雑誌*Nature*には「証拠から行動につなげるよりよいしくみ」をつくるべきだとの社説が掲載されていた。この場合、証拠evidenceとは、思い込みやデマではなく、現実のデータや事実に基づく証拠を指し、客観的に真実に近いと思われる証拠をもとに政策決定decision-makingをしていくのが大切で、それにはそのための社会のしくみが必要だということである。そう言われれば誰でもそうだと思うかも知れないが、ことは簡単ではない。なぜなら、状況は日々変化しているからである。データの準備が政策決定に間に合わないのである。実際、デルタ株が出現したときには、それまでの対策が無力になり、多数の死者が出ることになった。その後、一段落したものの、今度はオミクロン株が現れると、あっという間に感染爆発となったが、一方で、若者は重症化しないという以前とは異なる状況になった。こうしたことが次々と起きるのに対して、信頼に値するデータを得て、適切な判断を下すには時間がかかる。そもそもある程度の患者数がなければ、統計的なデータもつくれない。ある程度の期間は状況を見守るしかないが、それから考えていては間に合わないということもある。実際、三回目のワクチン接種は、オミクロン株の拡がりの状況を見守っている間に手遅れとなってしまった。

こうした状況で、政治家や専門家を批判することはできても、「では具体的にどうしたらよいのか」となったときに、それぞれの人が勝手に自分の意見を言い始めてしまう。それを何とか組織的に円滑にできればよいのだろうが、果たしてそんなことは可能なのだろうか。ここで引用している*Nature*の記事には、同じようなことは感染症問題だけでなく、現在のさまざまな科学と社会に関する問題、たとえば、気候変動、不平等解消、貧しい国の健康改善などにもつなげられるとしていて、特に所得の低い国での取り組みについて焦点を当てている。ただ、これらの問題は時間スケールが違いすぎるので、時々刻々変化する状況に対して速やかな判断が要求される現在の感染症問題は別格のように思う。また、新型コロナ感染症問題は、他の感染症がほとんどない先進国でこそ大問題となっているので、どうも話のポイントがずれているようにも思われる。

科学と技術、政策のあるべき関係

ここで、科学と技術が政策とどのような関係にあるのか、考えてみよう。これらの関係を図に表すと図4のようになる。これは、以前に新聞の記事のためにつくった図に加筆したものである。私の考えとしては、科学は現実社会で起きている事柄に直接作用するものではない。コロナ禍でさまざまな学者がテレビ画面などを通じて直接に人々に人流抑制を訴えるということがあったが、その場合、その学者は科学者としてではなく、一市民として語っていたのである。研究者なり学者なりの肩書きを携えてテレビに登場したのだが、政治家でもないのだから、一市民の意見を述べているに過ぎなかった。医療関係者は技術をもっているのだが、だからといって人々に訴える立場にはない。目の前の患者に対応する職務を遂行することが、医療技術をもつものの役割である。

私が科学と技術を区別し、さらに政策を区別するのは、世間で一般的に思われているような科学者の社会的役割が場違いなものと思うからである。科学はあくまでも理論を構築するもので、さまざまな科学技術の基本になる知識を提供するものの、科学の知識を使ってすぐに何か行動できるわけではない。実際の行動は政策の一環として行われなければ、責任が明確にならない。たとえば、ワクチン接種では、非常にわずかな比率ではあるが、重篤な副作用を受ける人が出てくる。これはおそらく避けることができないことなのだろう。しかし、社会集団にとっては、感染拡大を防止する有力な方策であることは間違いない。そのため、ワクチン接種は推進しなければならないのだが、ごく稀に生じる大きな問題ばかりがクローズアップされて、人々が不安になるのも困った問題である。それを保証するのは政府であって、仮に重篤な問題が起きたときには、適切な補償をするということが約束されていなければならない。なかには、ごく稀にでも重篤な障害が起きるようなことは一切やるべきではないという考えの持ち主もいるかもしれない。しかし、道を歩いていても、非常に低い確率ではあっても、交通事故に巻き込まれる危険性はある。他にも、ただ普通に暮らしていても、きわめて稀な事故や事件に巻き込まれることは否定できない。そうした意味で、ワクチン接種の危険性を過大視するのは適切ではないが、今までの厚生労働省の対応は、できるだけ責任を認めたくないというものだった。子宮頸がんワクチン問題でも、なかなか副作用の原因がワクチンであることは認められていない。

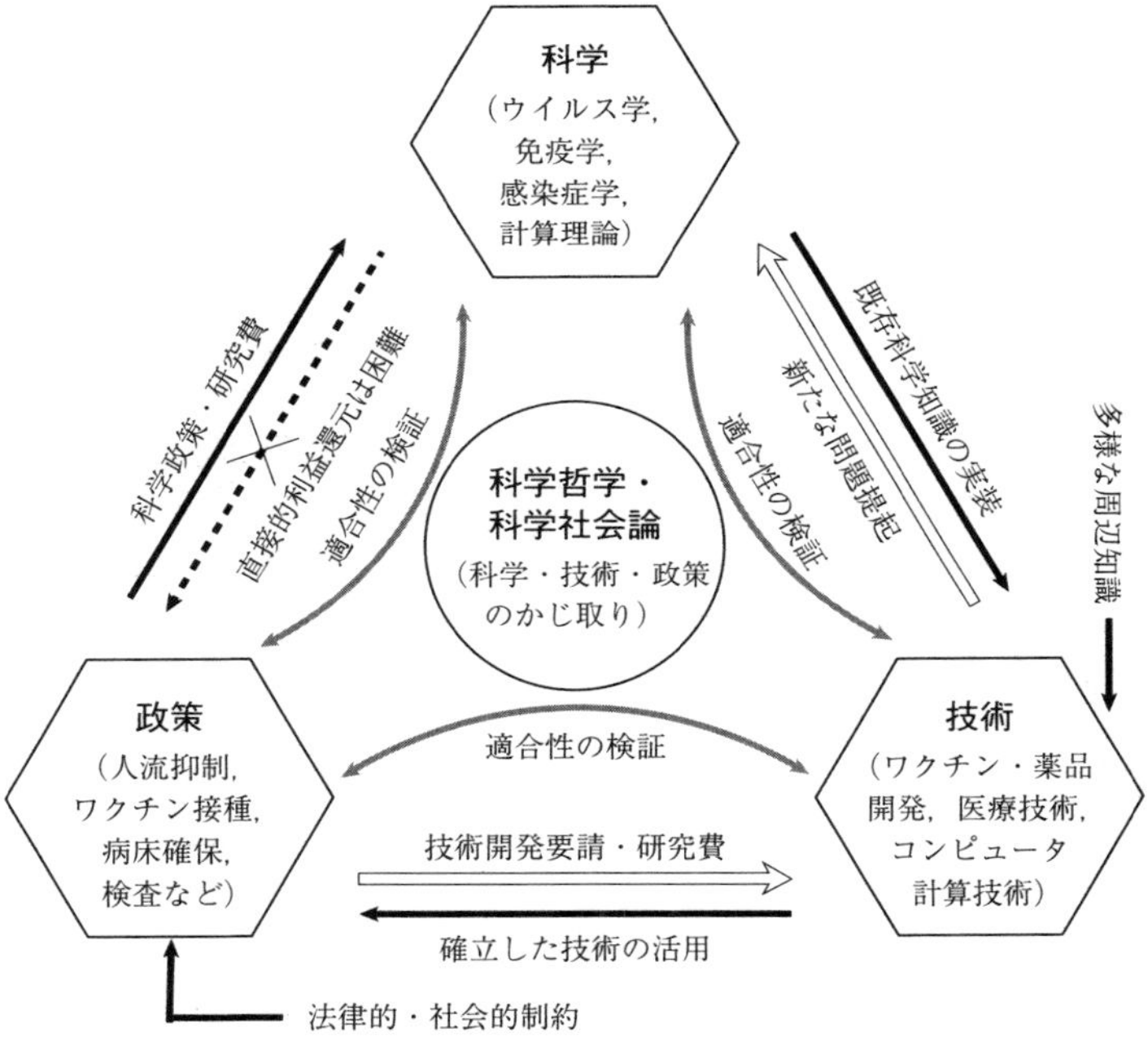

図4　科学と技術、政策の関係

（出典）東京大学新聞ウェブ版に掲載した記事の図より改変

そういうことではなくて、ワクチンを接種した段階で、一種の保険に入ったようなものとして、稀な予期できない体調不良に対しても補償する必要があるだろう。そういう意味で、ワクチン接種は政策の問題であり、科学の問題でも医療技術の問題でもない。

そうなると現実問題として感染症に立ち向かうのは医療という技術と政治家が決める政策ということになる。しかしもちろん、科学が政策と無関係であるわけではない。科学を進めるための研究組織の枠組みや研究費の配分は政策の実現の一部である。ただ、短期的に直ちに研究成果を求めても、それは難しく、直接的に利益還元ができるということにはならない。つまり、科学に対するサポートの成果や利益があるとすれば、技術への実装を通じてである。日本の多くの研究支援組織は支出した研究費に対して、目に見える形の見返りを期待しているようだ。それは、企業の研究所で、研究に投じた資金を、製品を売ることで回収するというのと同じ発想であろう。そういうことが可能なのは、技術開発研究の場合で、図に挙げたように、ワクチンや薬品の開発などは典型的な例である。他に、医療関連のさまざまな技術の開発もこうした研究支援の対象となる。人材育成はむしろ政策の問題であろう。さらにシミュレーションで話題となる大型のコンピュータを使った計算も、大部分、技術的な問題である。コンピュータへの投資は政策の問題だが、多くの場合、実際につくってみないとどんな計算ができるのかは本当にはわからないもののようで、かなり政策的な決断に依存している部分が大きいのではないかと思う。今現在、富岳という理化学研究所のスーパーコンピュータは、ウイルス飛沫飛散のシミュレーションだけでなく、高度な並列計算機能を活かして、気象情報の計算などでも性能を発揮できるという研究報告がある。実際に天気予報に活用されはじめているかもしれないが、こうしたスーパーコンピュータが地震の計算などでも活躍していると聞く。天気予報で降水確率何パーセントというとき、実際には、ほぼ同じ計算を何回もやって、そのうちで何回雨が降ることになるかということで求めているらしい。世界一であるかどうかはともかく、無駄なようではあっても、膨大な計算量をこなせるスーパーコンピュータは、社会にとってはかなり役立つようである。

図4の中央には科学哲学や科学社会論の役割も加えた。感染症対策には、科学、技術、政策の三者

がうまく協力して機能することが大切で、それを脇で見守る活動があってもよいはずである。現状はそうしたものはないか、あるいはあってもきわめて微力である。それに相当する働きをマスコミがやっていると思うかもしれないが、マスコミは本来報道が役割で、科学や技術、政策に切り込んで、それらの相互関係を解析するという力が十分にあるとは思えない。ここには科学哲学などと書いているが、現実の科学哲学者は、科学から入った人と哲学から入った人がいて、ここに書かれたすべてのことに精通している人を探すのはなかなか難しい。科学社会論や科学技術社会論の専門家と言われる人々も、それぞれに得意分野があって、特に今回の感染症問題で有力な発言をしている専門家はいないようである。むしろ、基本的対処方針分科会の尾見茂会長のような人がこの立場なのかも知れない。彼は法学部を中退して医学部に入り、医者としてＷＨＯで長年働いたという異色の経歴をもつそうである。こうした多面的な能力を備えた専門家がもっと多くいるとよいのだろう。少なくとも尾見会長は政策立案者に近い立場なので、むしろ、それを見守る立場の人が何人もいてほしいと思う。これからの世の中、科学も高度化し、技術はきわめて複雑なものになる。そうしたときに、科学と技術に通じて、なおかつ政策とのつながりを理解できるような人材を組織的に育成することが大切なのではないかと思う。現在は、それぞれの分野の専門家を育成する方向になっていて、幅広い見識をもつ人が必ずしも求められていないようにも見える。雇う企業の側から見れば、面倒くさいことは言わないで、専門の仕事だけこなしてくれる社員がほしいのだろうが、それればかりでは、幅広い人材は育たない。政治家から見ても、何でもわかる人は煙たいかも知れない。それでも、このあたりを何とか突破していかないと、今回の感染症問題などのように、科学や技術がからんだ大きな社会問題が起きたときに対応できないと思う。

第九章　コロナ禍で変化した社会

マスクの着用

二〇二三年春を過ぎて、オミクロン株による感染第八波もほぼ収まっている。アメリカやヨーロッパでは、すでにマスクの着用義務が廃止され、行動制限もなくなった。日本でも行動制限はなくなり、マスクの着用もようやく自主判断となった。そもそも日本では、子供の頃から、風邪をひいたらマスクをするのが普通だったし、この十数年来、花粉症のためマスクを着用する人が多数いたので、マスクの着用はあまり違和感がない。また、英語や中国語などとは発声のしかたが違うので、大声でつばを飛ばしながら話をする習慣もあまりなく、マスクが邪魔になることもないようだ。春の花粉対策もあるのか、日本ではマスクをしない人はむしろ珍しい。

しかし、行動制限の緩和とともに、水際対策の撤廃にともない、外国人観光客も多数入ってくるようになった。彼らの大部分は自分の国の習慣に従って、マスクを着用しない。日本式の礼儀作法に敬意を払う一部の外国人だけがマスクを着用している。

テレワークの普及

一方で、テレワークはどうだろう。少し前に、街を歩いていると、たまたま前を歩いていた三〇代くらいの会社員らしき人たちが、テレワークが定着して、あまり外出することがなくなったと話していた。たぶん大企業は、都心に大きなオフィスを置いて、多数の社員を通わせることのコストを認識して、テレワークを導入したようだ。オフィスを大幅に縮小した企業も多い。会社に行っても自分の座席はなく、限られたスペースを共有して働く。従来のように一人ひとりが大きな書類の束を抱えて仕事をしていれば、こうしたことは難しいが、オフィスのIT化が進み、書類は電子ファイルとなり、どこからでもアクセスが可能になった。ちょうどよいタイミングだったとも言えるだろう。私が知るある世界規模の外資の会社の場合、もともと海外と結んで会議をするためにオンラインのしくみをもっていて、それがうまく活用できたそうだ。大企業の場合にはそういうところが多いのだろう。

私のような学者にとっても、学会がみなオンラインになったことは大きな変化であった。これまでは、年に数回は国内を旅行して大きな学会に参加して、発表したり、意見交換したりしてきた。三年前からは、ほぼすべての学会がオンラインになったが、旅行をしなくてよい分、午前中に別の仕事や授業があっても、午後の学会に参加できるなど、従来では考えられない利便性がある。さらに、私のような定年退職後でも研究活動を続けている者にとっては、出張旅費を使わなくてよいので、国内の学会に参加するのが容易になった。海外の研究者が国内の学会にオンラインで参加することもできるようになった。戦時下のウクライナの大統領が日本の国会でオンライン演説することさえできるようになっているのだから、オンライン会議システムの効用はきわめて大きい。ただ、行動制限解除に伴い、対面での普通の学会も復活してきた。これからは、対面とオンラインをうまく共存させてもらえるとありがたい。

もちろんすべての企業や職場がオンライン化しているわけではない。交通機関の運行に携わる人々は当然のこと、警察官や消防士なども今まで通りの働き方に違いない。行動制限がある間は、飲食店はテイクアウトが主流だったが、制限がなくなっても、多くの店にはテイクアウトの弁当が並んでいる。ネット通販も二〇二〇年にはかなり繁栄したようだが、すでに利用は元に戻り始めてきた。ひところ町中を猛スピードで走り回り、危険な思いをさせられた食材輸送の自転車も、近頃はあまり見かけない。二〇二〇年には、飲食店のアルバイトをしていた人たちがシフトから外され、仕事がなくなったことが深刻な問題となっていて、その後も続いていたはずだが、今はどうなのだろう。特に問題となっていたのが中小企業で、オンライン化することが容易でなく、かといって全員で出勤していると、職場で集団感染が起きてしまう問題が指摘されていた。これも今では解消しているようだが、働き方自体は、コロナ以前と大きく変わっていないのであろう。働き方が大きく変わったのは主に大企業に限られるのかもしれない。

大学のオンライン授業

大学の授業は二〇二二年四月からほぼすべて対面に戻った。学生にとっては、教師が面と向かって話をしてくれるのがわかりやすいらしい。オンラインの画面では眠ってしまう学生も多いようだし、そもそも、情報がうまく伝わらずに、授業の中身が理解できないことも多いようだ。私がやっていたある大学のオンデマンド授業では、予め作成したビデオ教材を配布し、それを見てもらった上で、課題に答えてファイルを提出してもらうという形式だった。内容的にはほぼ同じなのだが、四月からの対面授業では、課題の正答率がきわめて高くなった。もともとやさしい穴埋め問題を出していたので、できて当たり前のはずだったのだが、オンラインの時は、半分くらいしかできていなかった。今は教室で学生同士相談しながらできるということもあるが、それにしても正解率がまるで違うのには驚いた。学生の理解度にもよるのだろうが、教育の現場では、やはり、面と向かって授業を行うことが大切なようだ。途中で細かい注意を加えることもでき、そうしたことが結局は理解度につながっているのだろう。

一方で、この三年間でつくりためたオンデマンド教材は、この先ずっと使うことができるので、私にとっては貴重なものとなった。基本的には、スライドを見せながら説明を加える形式のものなのだが、音声を編集してみると、普通に話していることに如何に無駄が多いかがよくわかる。「えーっと」や「それで」など、人それぞれに違うだろうが、要らない言葉がたくさん入る。時々言い間違える。間違えたのを後で直すことも容易である。編集すると、だいたい一割くらい短くなる。普段の授業で話しているのは一体何なんだろうとすら思える。そのため、きちんと編集したビデオ教材は無駄がない。「きちんと」といっても、素人編集なので、追加した文言だけ声の調子が違うことも多い。しかしそれはそれで、学生には、こちらが一生懸命に資料をつくっていることが伝わるという面もある。それに加えて、同じ内容でも、新たに授業をするたびに部分的に修正をしつつ対面授業の中でも利用できるので、授業の準備がずっと楽になり、毎回の課題などに使う時間に余裕ができた。もちろん、再び何か問題が起きたときに、オンライン授業ができる体制もできていて、特に、授業に出席できなかった学生が、ほぼ同じ内容を学習できるというオンデマンド授業の体制はそのまま維持している。このような二通りのやり方を併用すれば、遠隔地にいる学生にも同じ内容の授業を提供できるというメリットもある。東京に下宿して通学するということをしなくてもよいならば、東京の大学に入学する優秀な地方の学生も増えるのではないか、あるいは、海外の留学生にとっても敷居が低くなるのではないか、などなど、さまざまな可能性が広がる。

対人関係

こうして、コロナ禍を通じて、仕事の仕方や教育のしくみも少し変化した。ただ、変化の仕方にはばらつきがあって、大きく変化したところと、元通りに戻ったところとがある。それにもまして大きく変わったのは、対人関係のあり方だろう。人と人との結びつきの大切さが再認識され、感染対策をとりながらも、大切な人との交流を維持してきたことは、これまでのドライな人間関係を振り返る機会ともなった。オンラインでの人付き合いでは不十分なことがあるというのは、コロナ禍以前の考えではなかなか想像できなかったことであるが、身体と身体が接し、また、直接息づかいが聞こえるような会話が大切なこともあるのであろう。また、オンラインでは、同じ空間を共有しているという感じがもてない。音声は一方的にコンピュータのスピーカーやイヤホンから聞こえてくるだけで、空間的な拡がりがない。音声自体も生の声とは少し違って聞こえる。学術的な学会やビジネスの会議のように、伝達内容が定型化していて、必要な内容を明確に表現すればよいだけの場合には、オンラインは有効であるが、言葉のニュアンスをくみ取ったり、微妙な意思疎通を図るような場面には適さないということなのだろう。会議や学会の場では、プレゼン資料もスクリーンが遠くてあまりよく見えないことが多いが、オンラインの場合には、画面共有で、手許の画面にはっきりと表示されるので、発表内容を正確に伝達するという意味では非常に優れている。反面、気持ちや雰囲気を伝えることには適していない。

人類はもともと集団生活をする動物として進化してきた。一人では生きていけない。対人関係を通じて自己の存在を確認しながら生きている。それはネット社会になっても変わらない。ＳＮＳで常に仲間とつながり続けている人々が多いこともその表れである。しかし、どうやらＳＮＳだけでは駄目らしい。オンラインなら顔も見え、声も聞こえるのに、それでも駄目なようだ。人間は生のふれあいが必要ということのようだ。

保育園など、小児の保育・教育の場では、子供がマスクをすることの苦痛に加え、マスクによって顔を隠すことが、子供の認識能力の発達にマイナスであることもあり、子供たちは一様にマスクをしないのが普通である。小学生になると、マスクをするようになるが、低学年の子供には苦痛のようだ。公園で遊んでいる子供たちを見ても、マスクをしている子供としていない子供が混在していた。幼い子供は相手の言葉を理解するのに、口の動きや表情を見ている。いわば身体全体の表現を通じて、相手とのコミュニケーションをとっている。その中で、言葉を学び、言葉を中心としたコミュニケーションへと移行していくわけである。そのため、発達期の子供にとっては、生のコミュニケーションが必須である。言葉を教えるときも、失敗したことをしかるときも、さまざまな場面で、顔全体や身体全体の表現が大切である。そうした意味で、この三年あまりの間に幼児期を過ごした子供たちの将来の成長に何らかの影響があるかもしれないという危惧を表明する専門家も多い。大学生を相手にしていても、似たようなことを感じるので、小さな子供の教育の現場はかなり厳しいものがあると思う。

第一〇章　コロナ禍で生まれた科学不信

第Ⅱ部のまとめとして、コロナ禍という社会問題にかかわる科学、技術、社会の関係をまとめることにする。特にコロナ禍での専門家と称する人々の発言や対応に対する人々の反応、特に不信感が重要である。まだ、現在のコロナ禍が完全に終息したわけではないので、以下はあくまでも暫定的な総括となる。

感染症に対する考え方

この新型コロナ感染症問題に関する議論の締めくくりとして、感染症に対する人々の考え方は変わったのかという問題を議論したい。感染症対策としての政策は正しかったのかという問題もある。mRNAワクチンの問題もある。さらに、科学や医学に対する見方の問題もあるが、それはもう少し一般的な問題なので、次の項目にまわそう。

新型コロナ感染症はいつ終わるのかということが時々話題となる。テレビで発言する専門家の最近の意見としては、だんだんと他の感染症と同じようになっていき、特別扱いしなくなるだろうが、この感染症がゼロになることはないというものである。中国ではゼロコロナ政策をとって国中の感染をなくそうとしていたが、それを外した途端に感染大爆発となった。多くの先進国では、コロナと共存する政策がとられている。インフルエンザとの違いは、普通の病院で診察してくれないことだった。発熱外来が設けられていて、新型コロナの疑いのある患者は、普段のかかりつけ医ではなく、コロナ患者が来ても大丈夫という体制をとっている病院の発熱外来に行かなくてはならなかった。五月八日からは新型コロナが2類相当から5類に移行するので、対応が変わることになり、原則として、発熱がある患者も一般の医院で診てくれるようになった。従来、インフルエンザの疑いのある患者は、かかりつけ医に行って、抗原検査による判定を受けると、薬を処方され、それによって比較的簡単に治るようになっていた。もちろん、判定試薬やインフルエンザの特効薬の開発が行われる前であれば、ただ単に、インフルエンザの疑いがあるということがわかるだけで、対症療法として解熱剤をもらって安静にしていたものである。一週間登校禁止は変わっていないと思うが、会社を一週間休む人がいるかどうかはわからない。

新型コロナもオミクロン株になってくると、感染はするものの、症状はあまり厳しいものではない。そのため、もう、インフルエンザと同じ扱いでよいのではないかという意見も多くなってきていた。それは世界がマスクをやめ、コロナと共存する政策をとっている以上、経済的な交流を円滑に進める上では、日本だけが特別なことをしつづけるわけにもいかないというような事情にもよる。過去の感染症でも、二、三年でだいたい収まるようである。一九一八年のスペイン風邪（つまり当時の新型インフルエンザ）では、今回のようなワクチンや薬があるわけではないにもかかわらず、二、三年でほぼ収束したようである。ペストなどでも、いつまでも続いて住民が全滅するなどということは起きていない。感染症はどういうわけかそのうち適当に収まるらしい。もちろんその間に多くの死者が出たわけだが、それでも社会集団が全滅するような被害が出ることはなかった。

今回の新型コロナウイルスでも、ワクチンや治療体制の整っている先進国以外では、感染が拡大し、国民の半数以上が感染したとされる国も多い。南アフリカ、インド、ブラジルなどである。先進国でも、アメリカやイギリス、フランスなどでは、国民の半数以上は感染してしまった。日本では死者を出さないために、何が何でも感染を食い止めるという方針で、経済活動に対する制限が行われた。一方で、インフルエンザでも年間一万人くらいの死者が出ているのだから、こうした規制は過剰だという意見も聞かれた。最近はあまりそうした意見も聞かれないが、できるだけ普通の体制に戻して、インフルエンザ並みにするべきだという意見は多かった。たぶん、何も対策を打たなくても、感染症の流行は二、三年で自然に収まるのだろうが、死者を減らすには、大変な対策が必要になるということのようだ。先進国では、ワクチンや先進治療など、打てる対策があるのにみすみす死者が出るのを見過ごすのかという批判も出てくる。そうした対策の打てない国では、自然に任せるしかない。それでも、インドなどはかなり厳しいロックダウンを行い、何とか感染爆発を沈静化した。こうした問題は、特にパンデミック初期に判断するのは難しい。以前のＳＡＲＳのようにきわめて致死的な感染症であれば、いきなり厳しい対策を打つ必要がある。それに対して、オミクロン株くらいだと、どこまで制限をするか、難しい判断になる。

二〇二三年初夏を迎えた現在、日本では特段の制限はなく、あくまでも自主的な規制だけだが、新規感染者数は徐々に減少し低い水準にとどまっているようなので、これでよいのだろう。専門家と称する人々は、繰り返し新たなオミクロン株変異体による感染拡大の警鐘を鳴らすのだが、あまり当てにならないようだ。人々もどう行動したらよいのかを自然に学んで身につけているようである。その意味では、感染症に慣れてしまったとも言えるし、上手につきあえるようになったとも言えるだろう。しかし、次に新たな感染症が出現したときにはどうだろうか。結局は、その感染症がどれだけ致命的なものか、緊急性が高いかが決め手となるのだろう。しかしそれはすぐにはわからない。専門家でも、政治家でも判断は難しい。日本人のような自主判断で行動抑制ができるのは、やはり、国民全体の教育水準がきわめて高いからにほかならない。先進国といえども、他の国で上手くいかないのは、すべての国民に高い教育が行きわたっているわけではないためだと私は思う。逆に、日本人はそのことをあまり意識していない。日本は江戸時代の寺子屋の時代から、庶民にまで基礎的な教育が普及しており、現在の教育水準では、よほどのことがない限り、感染症の話が理解できないで行動抑制ができないという人はいないはずである。先進国でも行動規制に対して暴動が起きるところがいくらもあるようだが、日本では考えられない話である。

それでもワクチンに対する見方には問題が残っている。今回、mRNAワクチンが初めて実用化され、それによって、いち早いワクチン接種が可能になったのだが、一方で、この新しい技術についでは安全性の検証がまだ十分ではない。しかも、若い人たちを中心に、ワクチン接種後に高熱が出るという問題もある。そのため、若い人ほど三回目の接種に二の足を踏むようである。従来の他のワクチンではこれほどひどいことは起きていない。インフルエンザのワクチンは毎年行われていたが、今回ほどひどい副反応が起きることはまれである。やはり従来型のワクチン、つまり、mRNAではなくウイルスの外被タンパク質を抗原としたワクチンの方が無難なのではないかという気持ちは強い。仮に新型コロナウイルスのワクチン接種が毎年行われるようになった場合は、mRNAではなく、従来型のワクチンを使ってほしいものである。この問題に対しても、日本の人々の反応は適切で、やはり自分で理解し、判断できているということが大きいのだろう。行動制限、マスク着用、ワクチン接種、これらのすべてについて政府のいいなりになるわけではなく、自主的な判断で動けていることに、日本での感染症対策は、これでもうまくできているのだと思う。また、人々の感染症に対する考え方も適正なものなのだと思う。逆に、世界での状況は同じではないと思う。

サル痘の拡大と新型コロナ感染

アメリカ微生物学会のホームページには、二年ほど前から急拡大している「サル痘」(mpox)の感染と新型コロナ感染症の比較が出ている(表3)。どちらも動物由来の感染症であることは同じだが、感染者の数が全く異なることがわかる。その一つの理由は、SARS-CoV-2というウイルスが全く新しいウイルスだったために、感染が拡大し始めたときに全く知識がなく、また、ワクチンや治療薬がなかったことが挙げられる。もう一つの理由は、SARS-CoV-2が呼吸飛沫を介して感染するのに対して、サル痘は患者の身体との直接的な接触が主な感染経路であることである。また、病原体のゲノムがＤＮＡであるかＲＮＡであるかが、変異の起きやすさと関連しており、ＤＮＡであれば複製酵素自体にエラー修復機能があるため、複製の際のエラー率が低く、変異も起きにくいが、ＲＮＡの場合には複製によるエラーの頻度がきわめて高い。もちろん不正確な複製によって、機能しないウイルス

表3　サル痘と新型コロナウイルス感染症（COVID-19）の比較

	サル痘（monkeypox）	COVID-19
病原体	サル痘ウイルス（MPV）	SARS-CoV-2
発見年	1958	2019
ゲノム	二本鎖DNA	一本鎖RNA
変種のグループ数	2	28
主要な感染経路	発疹やかさぶた、感染者体液との長時間の直接的な接触	呼吸飛沫
主な保有動物	サル、齧歯類などの小動物	コウモリ、センザンコウ、ミンク
世界の感染者数（2022年1月1日から8月15日まで）	31,799	296,643,720
世界の死者数（同じ時期）	12	967,282

（出典）　https://asm.org/Articles/2022/August/Monkeypox-vs-COVID-19

もできるだろうが、さまざまな変異体ができれば、稀には感染効率の高いものも生ずる。これの繰り返しで、どんどん感染力の高いウイルスができてしまう。

サル痘に関しては、ヒトの病気であった天然痘のワクチンが使えるということもあり、また治療薬もすでに存在していたため、予防や治療ができるようになっている。天然痘撲滅宣言が出されて久しいが、それに類似した感染症が動物の世界に残っていたことは、公衆衛生の盲点だったことになる。つまり、どんなに努力して一つの感染症の病原体を抹殺したとしても、それに類似した病原体が必ず動物の世界には残っているということである。現在、さまざまな生物のゲノム解読が進められているが、そうしたプロジェクトでは、このような感染症の病原体の探索も大切になってくる。

科学や医学に対する考え方

こうして多くの日本の人々が、ＣＯＶＩＤ-19感染症に比較的うまく対処し、立ち回れているように思うものの、それでは、人々が科学や医学を見る目はどうなのかということは問題として残る。人々が自主判断である程度うまく行動できているということは、逆に言えば、専門家の言うことを信じていない、少なくとも盲信していないということである。たしかにこの三年あまりを通じて見たときに、最初羽振りのよかった専門家がだんだんと消えていったケースも多い。初期に八割の行動制限を提唱した西浦北大教授（その後京大教授）も、テレビなどに出てくることはほとんどなくなったし、自らの意見を発表することもなくなった。日本中から厳しい批判を浴びたと聞くが、それだけでなく、二〇二一年後半の第五波収束のときには、外出者が増えているのに感染者が著しく減少するという、彼がそれまで声高に主張してきたことが大はずれになってしまったことも、影響しているのだろう。二〇二〇年末には当時感染症対策の指揮をとっていた菅首相が、自ら宴会を催していたことが露見し、結局は謝罪に追い込まれた。他にも、医師会の会長も同じような問題を起こしていた。いずれも、自分はちゃんと対策をとっていると思っていて、つまり、自分だけは特別と思っていたことが不思議だった。全員が同列で平等であることを基本原理とする日本人には、こういうことは絶対に受け入れられない。日本は自由主義、資本主義ではあるものの、平等ということに関しては、どんな社会主義国よりも優れていて、これはこうした経済のしくみができるよりもずっと前からの国民的伝統なのであろう。そのほか、当初は絶大な信頼を得ていた分科会の尾見会長も、オミクロン株が出てきたあたりで、行動制限に関して政府と異なる独自の見解を述べるなど、だんだんと信頼を失ってきた感じがある。専門家としてワイドショーやニュース番組の常連だった医師は数多くいたが、行動制限がなくなったいま、誰も出てこない。テレビ的にも、コロナがあまり重要な話題でなくなってきたからであろう。

私も学者の端くれなので、専門家を少し弁護しておくならば、専門家でもわからないことは多いはずだということがある。すべての条件、データがあれば、正当な結論を導くことはできるのだろうが、現実にパンデミックが広まる中で、その時々の状況をうまく判断して、適切な意見を出すことは非常に難しいはずである。専門家といえども、判断に必要なデータや知識が与えられていなければ、正しい判断を導くことは無理である。その意味では、科学者にせよ医学者にせよ、能力に限度がある。あらゆる知識とデータがあれば正しい判断ができるのは当たり前である。限られた知識とデータの中で、ある程度役に立つ判断ができるのが専門家なのではないか、と期待してしまうかもしれない。おそらく、学者でない一般の人々の思いはこうしたものだろう。しかし、専門家といえども過度の期待には応えられない。そのことを人々が理解したのもこの三年あまりの成果といえるだろう。

しかし、ただ悲観的なばかりではいけない。この機会に、科学や医学、技術というものとのつきあい方を考えてほしい。それは次に扱う気候変動問題にも関連するが、科学でわかることは常に限定付きである。十分な知識とデータがあれば、だいたい正しい判断を出すことができる。十分な知識があれば、たいていの問題に適切な対策を打つという技術的対応ができる。同じことは医療についても言えるが、残念ながらまだすべての病気について、十分な知識があるわけではないので、あらゆる場面で完全な治療ができるわけではないし、感染症の対策も完璧というわけにはいかない。だいぶ違う問題に見えるかもしれないが、気候変動問題では、本来はそうした限定付きで議論が進められていたにもかかわらず、いつの間にか政治によって二酸化炭素排出問題にすり替えられてしまった。しかも人々はそれを十分な科学的知識とデータに基づいた科学的事実と信じ込まされている。しかしことはそう単純ではない。科学であればさまざまな議論があってよいはずだ。コロナ禍の教訓があれば、気候変動問題にももっと適切に対応できるのではないだろうか。

コロナ禍で生まれた科学不信

結局のところ、コロナ禍を経験した人々は、科学に対してどのように感じたのだろうか。すでに何度も述べたように、人々は科学者と呼ばれる専門家の言うことがいつも正しいわけではないことを学んだように思う。人流抑制と称して外出制限などが厳しかった時期もあるが、人流が直ちに感染拡大につながるわけではないことは明白だった。マスクの着用に関しても、最初はウイルスにマスクなど効果がないと言っていたはずなのに、やがて、マスクの着用が義務化された。二〇二三年くらいになると、逆に、もうマスクは必要ないと政府が言い出しても、人々はマスクの着用をやめなくなった。マスクに関しても、結局のところ、人々は専門家や政治家の言うことに従っているのではなく、自主的な管理をしていることになる。ワクチンについては話が一番はっきりしている。最初の二回の接種を受けた人は国民の八割以上だそうだが、その後の接種を受ける人はずっと少なくなった。ワクチン接種のメリット・デメリットを天秤にかけた結果である。ここでも人々の自主的な判断が行われている。外出先での手指のアルコール消毒については、まだそのまま残っていて、これについては、多くの人がやっているようである。もともと手を清潔にしましょうという教育が行き届いている日本なので、ちょっと消毒をするというのはあまり抵抗がないのかもしれない。

コロナ禍でのさまざまな問題を通じて、人々は科学者と言われる人々の発言がそのまま行動規範になるわけではないことを学んだ。私なりの言い方では、専門家というのは科学者ではなく技術者である。科学者は新型コロナウイルスの性質を詳しく調べたり、それによる病態の原因を調べたり、また、新型コロナウイルスを退治する薬剤の候補を考えたりするのだが、それらはすでに確立した科学理論や科学知識に、新型コロナウイルスに関連した新しい知識を付け加えて、科学知識を補完、更新していく活動である。その活動自体に良い悪いがあるわけではなく、人々の不信の対象になるわけでもない。不信感の対象となるのは、科学知識を利用して考え出された新型コロナ感染症対策という技術や政策の部分である。技術という面では、新型コロナウイルスに対するワクチンがどの程度有効なのか、また副作用が許容できるものかという点で、人々は不満を抱いていることは間違いない。また、有効な治療法があまりなく、インフルエンザのような特効薬がないことも、人々の不信感につながっている。若者であれば、新型コロナになってもすぐに死にそうもないので、医者に行くよりも、家で静養していればよいという考え方になっているのではないだろうか。最近でこそ、感染したことを恥じる風潮もなくなって、普通に話題にするようになったが、一時は、感染したこと自体をひた隠しにしていた。感染拡大のシミュレーションも最近では見かけることがなくなった。専門家と称するもののウイルスのことも全く知らない数理科学者が計算だけをやって、人々を脅かしていたわけなので、化けの皮が剥がれたと言えばそれまでなのだが、誰もシミュレーションで一喜一憂しなくなった。

こうしてコロナ禍の三年間を過ごした日本人は、科学技術がかなり無力だと言うことを感じたに違いない。結局、自分の身は自分で守ると言うことだろう。科学理論や科学知識はきちんと更新していれば、基本的には間違いがないはずなのだが、それでも新しいコロナウイルスについては、すぐには知識が追いつかなかった。一方で、科学知識はそのままでは社会に適用できない。実際の政策に利用する場合には、科学知識をさまざまな技術の形で実装する必要があり、その段階はあくまでもトライアンドエラーである。現実の問題に応用して、うまくいかなければ、技術を修正する。これを何度も繰り返していく。その過程で、人々は不満を抱くことも多いだろう。それは、一つには、科学知識が不完全だということ、もう一つには、科学知識が簡単には現実に使える技術に実装できないということだった。前者は時間が経てば解決する。つまり、コロナ禍が全部終わってしまっても、研究は続くので、この間に得られた膨大なデータを調べることにより、また、単離したウイルスをさらに調べることにより、科学知識は次第に納得できるものになっていくだろう。しかし、現実の問題に関しては、コロナ禍という現実の中でしか技術や政策の実効性を試すことはできないわけなので、その場で使えなければ駄目ということになる。これはかなり難しい注文である。そして、それが人々の科学技術への信頼感につながっている。

多くの人々にとって、科学技術というのは絶対的に正しい真理であってほしいのである。それに基づいて正しい政策判断をすれば、最適な政策が打ち出され、災厄が最小限に抑えられると期待されている。そこでは、科学と政策が短絡されている。同じことは気候変動問題でも言えそうだ。そこでも、気候変動に関する科学理論がいきなり行動規範に結びつけられている。コロナ禍を経験した人々は、適切な政策に結びつかなかった科学に対する不信感を、気候変動問題にもぶつけることはないのだろうか。今のところどうもそうは見えない。しかし、科学や技術のもつ問題は、気候変動問題でも共通であるはずだ。人々の批判の目はコロナ禍だけでなく、気候変動問題にも向けられてしかるべきではないだろうか。

コロナ禍から気候変動問題へ

今のところ、コロナ禍での科学への疑いが、他のこと、たとえば、地球温暖化問題に対して向かっていないように見える。しかし、温暖化がもたらす生態系への影響として、従来出会わなかった動物同士の遭遇（それには人間も含まれる）が増え、それによって、従来特定の動物に限定されていたウイルスが他の生物に広まる懸念も指摘されるようになった。こうした従来全く別の問題のように見えていた事象に関連性を指摘するのは、研究者が自分の存在感をアピールする常套手段でもあり、しっかりとした検証が必要である。二酸化炭素排出を減らすことが温暖化の原因を絶つことになるのかはわからない。むしろ温暖化することを前提として、その対策を考えることは必須である。二酸化炭素排出削減策にも、環境をきれいにする効果や、資源を特定の国や地域に依存しすぎないようにする効果など、別の利点がある。コストだけにとらわれないで、別のエネルギー獲得戦略が使えるようになるのもメリットである。SDGsといわれているものは目標が不明確ではあるが、目標の使い方によっては、さまざまな利点がある場合もありうる。単に二酸化炭素削減という形ではなく、政策全体としての利点を考えて、利用していくのがよい。科学や技術を人々の行動や政府の政策に反映させていくには、一つの論理だけではなく、多面的な説明や理解が必要である。科学や技術自体も、本来はそうしたもので、数学や理科の問題を解くようなものではない。一般に科学に対して向けられた誤解はそうしたギャップに根ざしているのではないだろうか。科学自体が疑う活動であることを考えたとき、科学への疑いは、矛先を変える必要がある。科学という疑う活動を疑うのではなく、現実世界の事象の観察結果を説明するため、アブダクションによって得られた仮説に過ぎない諸説に対して、一つひとつ吟味し、どうすれば検証できるのかを考えることが大切である。また、それらの仮説を早計に利用した技術や政策についても、どこまでは緊急策として許容できるのかを吟味し続けることが大切である。安直な全面否定ではなく、一つひとつ論理構成をしっかりと確認しながら、どこまではほぼ確実で、どこからはまだ不確実なのかを見極め、現実的な技術開発や政策にどこまで反映させるのがよいのか、吟味することが必要である。

第Ⅲ部　気候変動をめぐる科学と社会の関係

第一一章　気候変動の現実

気候変動論の拡大

今日の世界で科学が関係するもう一つの大きな問題となっているのが、気候変動である。気候危機とも表現される。地球の平均気温が徐々にではあるが、次第に上昇しているという問題は、近年では誰もが知る大問題とみなされている。少し前までは疑いを抱く人も多く、科学者の中でも慎重な意見が強かったように思うが、最近では、地球温暖化を何としても止めなくてはという世論形成が行われ、そのためには二酸化炭素排出を減らさなければならないという強迫観念のようなものが世の中に満ちあふれているように感じられる。現在では、地球温暖化の元凶が化石燃料の消費による二酸化炭素の排出であることに疑問をもつこと自体が異端視されるようにすらなってきている。しかし、この二〇年ほどの間、この説を支持する新しい証拠が出てきたわけではない。ただ単に、いつの間にか定説が形成されてきたように見える。

たしかに世界の平均気温は上昇している

まず確認しておかなければならないことは、地球全体の平均気温は徐々に上昇していることである。

よく、温暖化はウソだと主張している人々が平均気温の変化をまるごと否定することがあるが、もう少し慎重に見ていかなければならない。一言で平均気温というが、これは大変な手間をかけて求められる値である。まず、地理的に見て、地球全体のあらゆる場所での気温のデータが必要になる。地表の七割は海である。陸地といっても高山もあり、氷河や砂漠、人の立ち入りが難しい森林も多い。こうした世界各地の気温を測定するには気象衛星からの観測が有効である。リモートセンシング技術は最近非常に発達している。現在なら、宇宙から地表のあらゆる場所の温度を測定することができるし、わかる範囲で実測値と比較して検証もできるはずだ。しかし、国立環境研究所地球環境研究センターのウェブサイト（「ココが知りたい地球温暖化」）に出ている測定法によれば、陸上のさまざまな地点の平均気温について、平年値とのずれを求め、この平年偏差をもとに、緯度・経度5度ずつの格子ごとのデータを求める。海上は海水温（夜間の値）で代用するそうだ。このようにして、それぞれの格子点での平年偏差を世界全体で平均することにより、全球平均気温（平年偏差）の時系列を算出できるそうである。地域によって測定点の密度は違っても、この方法で、だいたい妥当な値が求められると考えられている。また、過去に遡ると測定点の数は少なくなるものの、一八五〇年あたりまではなんとか計算ができるのだそうである。こうして求められた値は、気象庁のホームページなどで公表されている。

日本の年平均気温のデータを図5に、世界の年平均気温データを図6に示した。これらを見ると、一年ごとに気温は大きく変動していることがわかる。それを数年の枠で平均化して長期的な変動傾向を見るのだが、それでも上がり下がりが見られる。世界と日本の気温の変化傾向はだいたい似ている

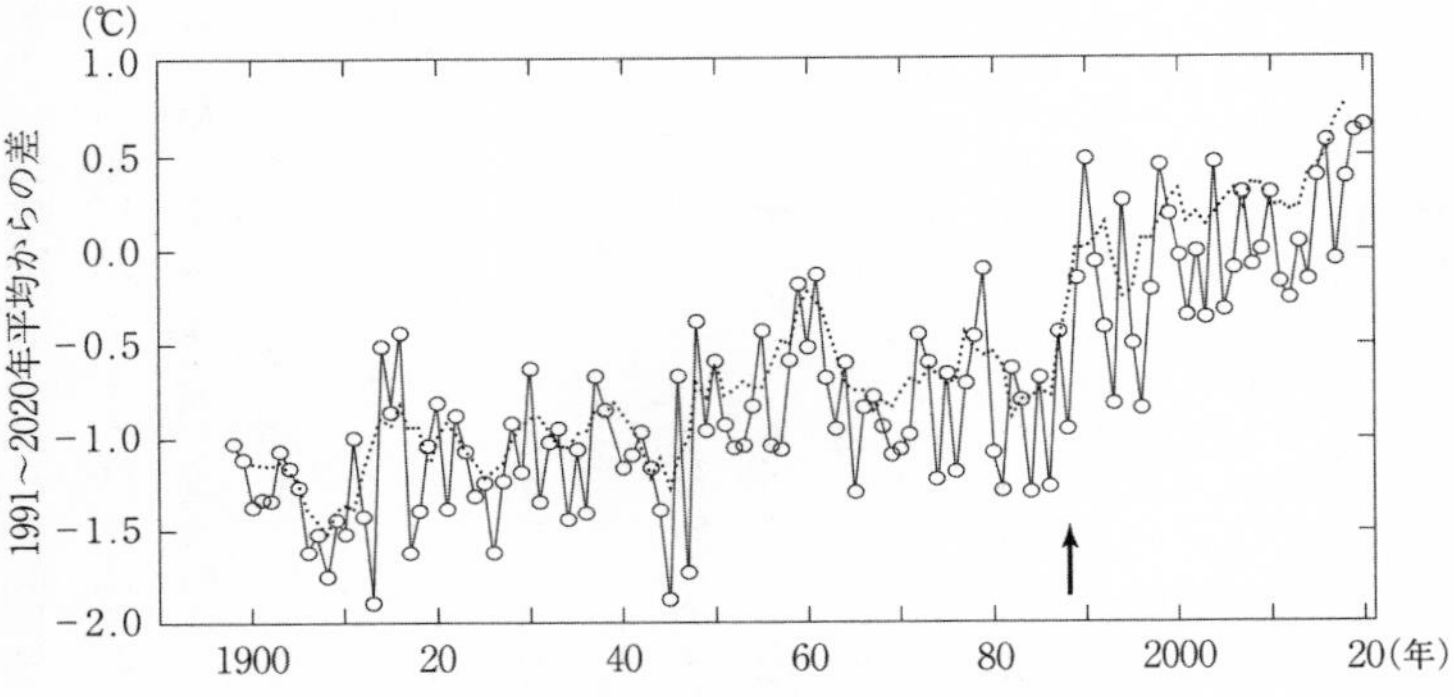

図 5　1900年以降の日本の年平均気温の推移

白丸は各年の値、破線は5年間移動平均。もとの気象庁の図では、全体を通した回帰直線が描かれていて、少しずつ気温が上がってきているように見えてしまうが、そういう誘導的な線をなくして、素直に眺めると、矢印のところ1988年に断絶があるようにも見える。つまり、それ以前とそれ以後はそれぞれだいたい同じ水準に見える。何か測定法か集計法が変わったのではないかとも思えるが、単なる憶測に過ぎないのかもしれない。

(出典)　気象庁のホームページより。

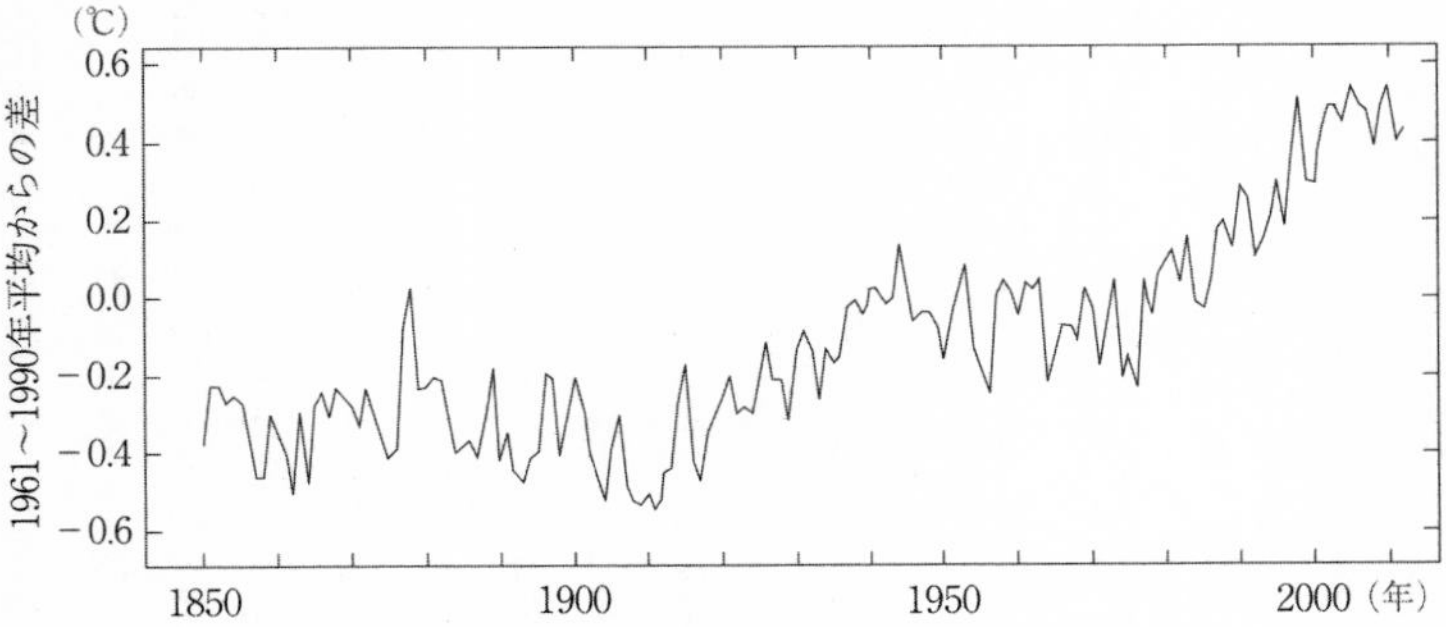

図 6　1850年以降の世界の平均地上気温の推移

この場合もなだらかな単調増加曲線で回帰できるようには見えない。図5と同様、1980年代に断絶があるようにも見えるが、さらに1910年付近にも断絶があるのかもしれない。

(出典)　気象庁ホームページより。

ようではあるが、それでも一年ごとの上下変動はかなり食い違っていることもわかる。日本で暑くても世界の他のところでは寒いというようなことは、ニュースでもよく報道されることである。実際、平均値にどの程度の意味があるのかということは問題で、実生活の感覚とはかけ離れたものにも思える。ただ単に、地球規模での大変動の傾向をつかむという目的にはこれがよいかもしれないが、現実の私たちの生活は世界の平均気温とは別問題である。たとえば、一九九三年の夏は異常な冷夏で、日本の稲作が大打撃を受けた。日本の年平均気温のグラフではそれらしいことが読み取れるが、それでも、平均化してしまうと、あまり顕著な気温の低下には見えない。このように、一方では、世界の平均気温などという抽象的な値をもとに議論しながら、毎日の生活感覚で、今年は暑いだの、暖冬だのと言っているのは、本来はかみ合わない話なのである。ただし、一九九三年の冷夏の原因は、一九九一年に起きたフィリピンのピナツボ火山の噴火であったことが後の研究からわかったのだそうで、日本の気候に世界的な事象が反映していることも大切な教訓である。

もう一つ気づくことは、長期的な変動である。世界の平均気温の傾向としては、一九〇〇年頃はかなり低くなっている。その後、顕著に上昇したと思うと、また、一九六〇—七〇年ごろは少し低下傾向にある。そして、この三〇年くらい、再びはっきりとした上昇傾向にある。このあたりのことはこれからも繰り返し議論していくので、覚えておいてほしい点である。

さて、もっと過去のデータはどうなっていたのだろうかという疑問が沸いてくる。つまり、気象衛星などなかった時代、地球全体のあらゆる地点での気温の測定値はどうやって求めていたのだろうか。気候変動の話では必ず出てくるのが、「産業化以前に比べて」気温が上昇したという話であるが、そんな昔のデータはどうやって求めたのだろうか。さらにまた、これもよく話題になることだが、過去の気温はずっと一定であったが、産業革命後から急速に上昇したと言われる。本当だろうか。過去の気温は一定だったのだろうか。大きな時間スケールで考えると、現在は最後の氷期が終わったあと、次第に温暖になっていく時期にあたっている。そのため、気候が温暖になること自体は珍しいことではないらしい。問題は、気温上昇のスピードである。産業革命以後、気温上昇のスピードが過去にない速さになっているというのである。

一般の人々はこういう話を聞いても、あまり疑問を感じないで、「ああそうか」と受け入れてしまうかもしれない。気温というのは、身近に測れるもので、毎日の天気予報でも話題になるので、そういう測定値が過去からずっと存在しても不思議に思われないかもしれない。しかし、実際に実験を行う科学者から見ると、こういうデータはどうやって測定したのかということが気になる。本当に測定できるとは思えないからだ。

過去の気候も平坦ではなかった

古気候学という学問がある。昔の気候を研究するというのだが、どうやって調べるのだろう。一つのやり方は、年輪である。年輪年代学という学問がある。古い樹木の年輪の幅を丁寧に測定すると、その木が育った環境の気候の変動がわかる。年輪は木の成長速度を表していて、一般には、温暖な気候であれば、しっかりと成長して幹が太くなるし、寒冷な気候だと、あまり成長できないので、年輪の間隔が狭くなる。年輪はその木が成長した時間的経過を表しているはずなので、寿命の長い樹木について調べれば、数百年昔までの気候の変化がわかるそうだ。さらに、今は枯れてしまっていても、地中に埋もれていた昔の樹木で、保存状態のよいものがあれば、その木が埋もれた数百年前を起点として、それからさらに数百年前までの気候が推定できる。異なる木でも、年輪の間隔パターンをうまくあわせることができれば、データを継ぎ合わせていくことができ、こうして、ある程度信頼できる約一万二六〇〇年前までの気候変化の推定ができるそうだ。それによると、昔は寒いときもあれば、暖かいときもあった。よく歴史で話題になる天明の大飢饉（一七八三―八七）などは、アイスランドのラキ火山の噴火が原因で、地球全体が寒冷化したために起きたのだそうである。一七八九年のフランス革命にもつながるらしい。また、これもよく話題になるが、一七世紀頃、ロンドンのテムズ川が凍結して、その上でスケートができたという記録があるそうだが、実際、その時代も世界的に寒冷期（小氷期）だったそうだ。逆に、平安時代はなぜ平和が続いたのかといえば、温暖で、食べ物が十分にあったためと言われる。おそらく、現在と同じくらい温暖だったと考えられている。

しかしこうした調べ方にも限度がある。もっと前のことはどうやって知るのだろう。有名なのは、グリーンランドの氷床である。グリーンランドでは、降り積もった雪が融けずに、年々堆積し、後から降り積もった雪によって押し固められ、氷床と呼ばれるものになっている。その氷に含まれる酸素の同位体比を調べると、当時の気温が推定できるのだそうだ。普通の酸素原子は原子量が16であるが、これが17や18のものもわずかに存在する。それを同位体と呼ぶ。17はきわめて少ないので、普通は16と18の比率で考える。酸素18が含まれる水は蒸発しにくく、降水に含まれる酸素には18の割合がわずかに少ないのだそうだ。気温が低いと堆積する氷の酸素18の割合がわずかに高いということがわかっており、この関係を利用して、昔の気温を推定するのである。現在、氷床が残っているのはグリーンランドと南極大陸だけで、それぞれでボーリングをして、氷床コアを採取し、酸素同位体比を詳しく調べる研究が行われた。南極の氷床の調査では、過去八〇万年前まで気候の変化が推定でき、過去に何度も温暖期と寒冷期が繰り返されてきたことがわかった。変動幅は10℃くらいもある。その周期はだいたい一〇万年くらいと言われ、これは、ミランコヴィッチ理論により説明されている。つまり、地球が太陽のまわりを回る公転軌道は、完全な円ではなく、楕円になっているが、その楕円のゆがみの程度が一〇万年を周期として変動し、真円に近いほど地球は温暖化するという理論である。一番最後の温暖期は約一二万年前で、現在よりもまだ暖かかったと考えられている。

グリーンランドの氷床では、もう少し細かく、過去約一〇万年の気候の歴史がわかる（図7）が、それによると、気候変動は周期的とは限らないのだそうだ。明確な原因がわからないままに、温暖になったり寒冷になったりすることがあり、それをダンスガード-オシュガーサイクルなどと呼ぶ。しかも重要なことは、数十年間で10℃程度の温度変化があったと考えられることで、これは、現在の気候変動よりも大きかったかもしれないと見られている。もちろん酸素同位体比の変化が気温だけによるとした場合の話であり、また、グリーンランド周辺での気候を反映した結果に限定されると考える必要もある。

年縞からわかる詳細な気候変動の実態

さらに別の方法には、湖の底に堆積した堆積物がつくるしま模様を利用する方法がある。これを年《ねん》

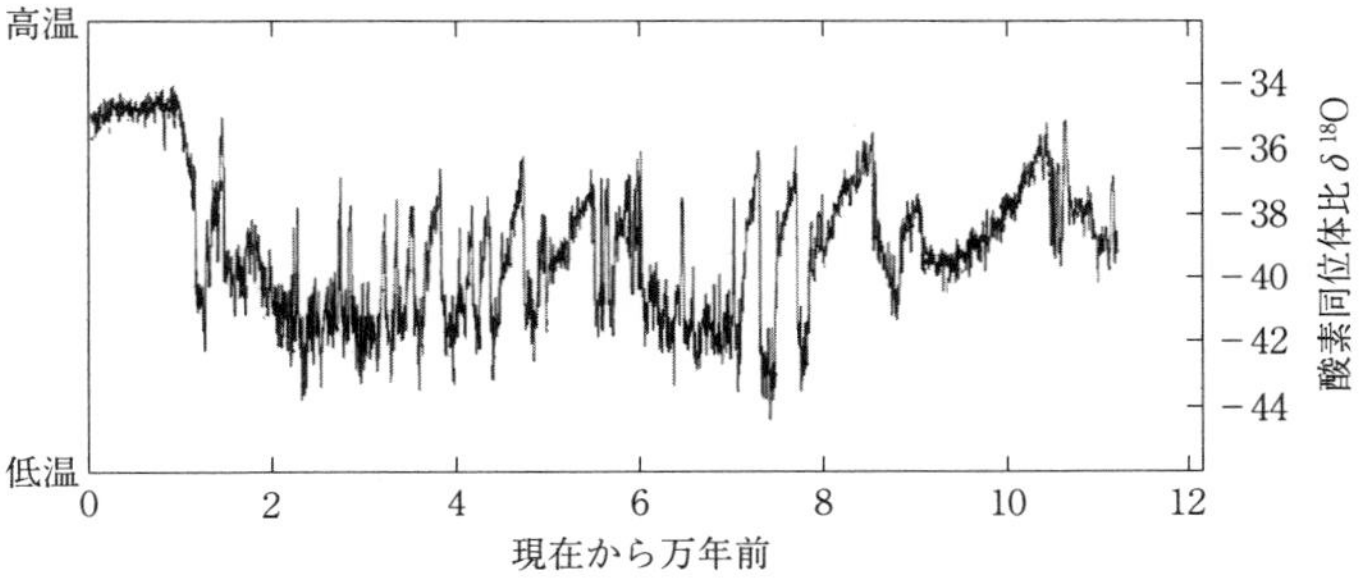

図 7　グリーンランド氷床の過去の気温変化を表すと考えられる酸素同位体比の変動

北部でのNGRIPという測定値も報告されているが、ここに示すのはGRIPと呼ばれる測定結果。論文によれば、だいたい酸素同位体比（単位はパーミル、千分率）で３くらいの差が、温度で５℃くらいに対応するそうなので、気温が上下しているところでは約10℃くらいの振れ幅がある。１万6000年前に氷期が終わり、１万4700年前には最後のダンスガード-オシュガー現象が起きて、急激な温度上昇が起きたと推定されている。

（出典）　2004年のNature論文に基づくと思われるWikipediaの図より

縞《こう》と呼ぶ。それにはもちろん条件がある。非常に静かな湖で、長い年月にわたって少しずつ堆積物が堆積したことが必要である。魚や小動物がいてはかき乱されてしまうので、酸素がない、いわば死んだ湖がよいらしい。しかも、流れ込む川もないのが大切なことだという。そのほかにも奇跡的な条件が整った福井県の水月湖の湖底の年縞が、過去の気候を調べるのに大いに役立ったのだそうだ。この研究の様子は『人類と気候の10万年史』に詳しく説明されている。年縞すべてを調べるのは大変なので、所々選んで、その中に含まれる花粉を分析することで、当時、湖のまわりに生えていた樹木の種類がわかる。また、現在の各地で堆積している表面の土にある花粉を調べることで、花粉の種類と気候との対応がわかる。こうして、年縞ごとにその年の気候が推定できるという原理である。それによると、過去一五万年前までの気候の変化が推定でき、そこには、約二万三〇〇〇年ごとの周期が見られる。この周期も、やはりミランコヴィッチ理論の一部である地球の歳差運動を反映したものとされる。つまり、地球の自転軸はコマのように歳差運動をしていて、それにより、公転したときの太陽との位置関係がずれてくる。公転軌道は楕円なので、その楕円のどの位置で地球の自転軸が一番太陽の側に傾くかが変化すると、夏のときの太陽との距離が、歳差運動によって変化することになる。さらに平均気温に対する影響は主に夏の日射しの強さで決まるという仮定をおくと、二万三〇〇〇年周期が説明できるという。さらに複雑なことに、この二万三〇〇〇年周期の気温の変動の振幅がだんだん小さくなっているそうで、それは、地球の公転軌道が、現在、楕円から真円に近づきつつあるためなのだそうである。いずれにしても、約二万年前頃は一番寒かった時期で、それから次第に気温は上昇してきていると見積もられている。

このデータでもグリーンランド氷床のデータと同様、過去に急激な温度変化が起きたことが確かめられた。つまり、極端な場合には数年間で5℃くらいの上昇が起きることが、過去に何度もあったと推定されるのである。現在起きている気候の変化よりも激しい変化である。もちろん、直接気温を測定したわけではなく、氷床なら酸素同位体比、年縞なら花粉の構成比から、当時の気候を推定したにすぎない。そのため、気温ではない何か別のことで異常なことが起きて、こうした指標が急に変化したという可能性も否定できない。氷床でも年縞でも、同程度の大きな急激な変化が観測されているとは報告されているものの、私自身はそれを否定も肯定もする手段も知識もない。ただ、現在の世界で起きている気候変動が、過去に全く経験したことのない急激なもので、だから人為的なものだという論理には、こうしたデータが整合しないことだけは確かである。おそらく、人間活動が関係しなくても、地球の気候は突然大きく変動することがあるらしい。しかもそれはミランコヴィッチ理論で予測されるような規則的なものではなく、カオス的な、普通には予測不可能なものであることもあるらしい。『人類と気候の10万年史』の著者は、気候変動のカオス性を説いておられるが、今の人間の知恵ではわからないこともあると認めるのも必要なことのように思える。

過去の気候についてはまだわからないことが多く、一万一七〇〇年前に始まる完新世における気候変動についても、観測に基づく推定値をシミュレーションによって再現できず、長いこと議論の的になっているそうである（Kaufman and Broadman 2023）。世界各地での観測データに基づく過去の気候推定の結果では、近年の温暖化は別とすると、二〇〇年ごとの枠で地球全体の気温を平均化した場合、完新世の真ん中、約六〇〇〇年前にピークがあり、一九世紀に比べて0・7℃高かったのだそうである。しかし、さまざまなモデルを使っても、平均値はむしろ六〇〇〇年前の方が低くなり、また、世界各地の気温の分布もうまく説明できない。

さらに不思議なのは、『人類と気候の10万年史』の著者によると、約八〇〇〇年前からの気温に関しては、本来のミランコヴィッチ理論では、むしろ低下すべきところだそうである。これはグリーンランドでも水月湖でも確認される。一つの考え方としては、農耕の開始によって、その頃から二酸化炭素やメタンの排出が増えてきたためだという。つまり、今大騒ぎしている温暖化ガスの放出問題は、実は産業革命ではなく、農業の開始とともに始まった可能性がある。農作物はグリーンというイメージがあるが、ヨーロッパでの森林破壊による農耕の開始とアジアにおける水田農耕によるメタンの発生が、温暖化ガスを増やしてきたという考え方である。ヨーロッパはもともとは深い森で、赤ずきんちゃんの童話なども、そうした深い森の存在を前提としていたのだが、現在のヨーロッパは広々とした平らな農地がどこまでも広がり、大規模農業のお手本のように言われる。過去にヨーロッパでは森林を大量に破壊してきたが、そうしたことには目をつむって、現在の開発のことばかり批判している人々はどこまで真剣なのかと思う。まして、森林を伐採して、そこに太陽電池パネルを並べて太陽光発電をするプロジェクトも世界各地で進められているようだが、当然のことながら、環境団体からの強い批判を受けている。森林は地球上の炭素源を木材の形で保持するのに役立っている。また、海の中では、石灰岩の形で、とてつもない量の二酸化炭素が保持されている。アジアの水田についてはどうしようもないと思うが、グリーンエネルギーという話の中では見過ごされてきている問題である。最近では、酪農、特にウシの腸内細菌が発生するメタンガスも話題になるが、それも本当は歴史が長いはずである。もしも近年著しくなっているのだとすると、それは人口増加が原因で、人口が多ければそれだけウシをたくさん飼育するためであろう。あまり話題にならないが、産業化によって増加する二酸化炭素としては、セメントを製造する際の石灰岩から出る二酸化炭素もあるのかもしれない。もしも今の気温上昇を問題にするのであれば、人類の文化的繁栄の起源に立ち帰って、そこから問題にしなければならないのかもしれない。

一般に言われるすでに使い古された気候温暖化の話では、過去の長い間、気温は一定であったが、それが産業革命後に急に上昇したというものであるが、本来の温暖化は八〇〇〇年前から始まっていて、たまたま太陽からの熱の供給が本来なら減少すべき時期に入っていたために、見かけ上、気温が一定で推移してきただけだとすると、過去の気温が一定だったという話も、単なる現象論だけになり、温暖化を産業革命以降の化石燃料の消費だけに結びつけることができなくなる。むしろ、農業拡大による温暖化ガスの放出が、人口増加によって促進されたことも大きな要因であるのかもしれない。もちろん、それ以外に、太陽から地球への熱の供給システムに微妙な変動が起きたという可能性も依然として残る。最近の気候変動の専門家は、産業による人為的な二酸化炭素放出（プラスそれ以外の温暖化ガス）のことばかりを問題にするが、産業化以前には気温が一定だったということ自体、すでに違っていて、平安時代が暖かかったり、一七世紀が冷たかったりする以外に、もっと以前から、ミランコヴィッチ理論による寒冷化と農業による温暖化のバランスが働いていたとすれば、話は根本的に考え直さなければならなくなるように思う。かりに産業化の頃から急激に気候が温暖化したとしても、それが、化石燃料の燃焼によるものばかりでなく、そもそも、人口が増えたことによる開発の結果であるとしたら、どうしたらよいのだろうか。そもそも、持続的な発展などできるのだろうか。

すでに確立したかにみえる気候温暖化の理論だが、まだまだ研究する余地があるようだ。科学は常に疑い続け、吟味し続ける活動である以上、温暖化のしくみについては依然として数多くの可能性が残されていることを認識し、しっかりと研究を続ける必要がある。一方で、現実の問題としては、温暖化を止めるようなことが可能なのか、逆に、温暖化による影響を軽減する対応策としてどんなことがあるのか、多面的な技術開発や政策決定が必要なはずである。

第一二章　気候を決める物理法則

気候の温暖化を考える基礎として、まず、地球の温度が決まるしくみについて、知られていることをまとめてみたい。ある程度理系的・理論的な内容であるが、ごく基礎的な問題なので、これを理解しないで気候問題を議論することはありえない。少なくとも、新型コロナ感染症に関する生物・医学的な説明に比べると、単なる物質世界の説明なので、誰でも理解できるはずである。

地球の温度

地球の温度が本来どのくらいかということは、実はかなり簡単な算術で求められる。地球は宇宙空間にあり、まわりはほぼ真空である。その温度は３Kといわれている。このKという単位は、ケルビンと読み、絶対温度を表している。物理学の説明では、ものの温度は分子運動の激しさを表している。その分子運動が完全に止まった状態では、温度が一番低くなり、それ以下はありえないことになる。そのため、すべての分子運動が止まった状態の温度を絶対零度とし、それを起点として測る温度を絶対温度と呼ぶ。温度の目盛りは普通の摂氏の目盛りを使うので、日常使っている温度に273.15を足せば、絶対温度となる。つまり、０℃は273.15Kである。

さて、地球の温度を考えてみる。地球自体には熱源がなさそうに思うかもしれないが、実は地球の内部は高温で、そのために、融けたマグマが火山から噴出するのである。ただ、マグマというのは、地球全体から見れば浅いところに存在するもので、後に述べるマントル成分が溶融してのち、成分が分離して上昇してきたものである。冷えると岩石になる。地球の本当の芯に当たるところは二重構造で、中心（内核）には高温だが圧力が高いために固体となった鉄の塊がある。そのまわりにある外核は、高温の溶けた鉄からなっていて、これが対流していることにより、地球の磁場が生まれると考えられている。その外側、地球の体積の大部分を占めるのが、マントルと呼ばれる岩石が融けたもので、これも対流していて、それに乗って、地殻がひょっこりひょうたん島のごとく、移動している。マントルには、カリウム40などの放射性元素が含まれ、これが自然に崩壊することによって、熱が生み出されている。最近の話題と対応させて言うと、原発の内部は発電していなくても核燃料の中にある放射性元素の崩壊によって常に発熱していて、それを常に冷やし続けなければならないが、それと同じことが地球の内部でも起きているということである。つまり、地球ができたときの熱が中心部に残っているほかに、放射性元素の崩壊により、継続的に熱が補給されていることになる。

地表の温度は、こうした地球内部からの熱と、太陽からの熱、それに、地球表面からの放射のバランスによって成り立っている。ただ、地球内部から地球表面への熱の流れ（地殻熱流量）は、およそ0.070 W m^{-2}とされていて（『宇宙・自然システムと人類』一五四頁）、これは次に述べる太陽からのエネルギー流入に比べて1/2500程度だそうである（同書一五六頁：筆者の計算では、地球表面に到達する太陽光のエネルギーが161 W m^{-2}なので、161÷0.07＝2300）。

太陽が暖める地球

これからは、地球全体というよりは地表のことを考える。地表には、太陽からの光が届く。一方で、地表からは放射冷却によって熱が奪われる。宇宙空間に熱が逃げていくのである。この場合の表面は、地上ではなく、宇宙から見た地球表面、つまり、大気圏上層部を指している。地球に照射する太陽の光の強さは、太陽の明るさと地球・太陽間距離によって決まる。それを太陽定数と呼んでいる。一平方メートルあたり毎秒1370ジュールである。毎秒のエネルギー量をワットと表すので、1370 W m^{-2} と表示することもできる。これはあくまでも太陽光に垂直な面での値である。この光は光エネルギーであるが、結局エネルギーなので、地球の中でさまざまなものに吸収されたあと、物体を暖めている。地球は宇宙から見ると青く輝いているそうだが、その光は太陽の入射光の一部が反射したもので、アルベドと呼ばれる。アルベドは0.3くらいと見積もられているので、地球全体が受け取るエネルギー量は、太陽定数に、地球の断面積を掛け、それに吸収率0.7（1からアルベドを差し引いたもの）を掛けることで算出される値である。地球の形が少し赤道付近が太った形状であることや、季節による地球の角度などを考えると、多少の変動はあると思うが、大ざっぱな計算をするときには考えなくてもよい。地球から宇宙空間に逃げていく熱は、赤外線の形をとる。その強さは地球の温度によって決まっている。こうした関係で、太陽から来るエネルギーの量と地球から宇宙空間に放出される熱エネルギーの量は釣り合っていなければならない。釣り合っていないと、地球の温度はどんどん高くなるか低くなるか、ともかく変化していく。しかし、もしも温度が高くなると、それだけ地球から逃げていく熱も増えるので、温度を下げる効果が高まる。長い目で見れば、結局は、エネルギーのバランスは釣り合うことになる。ここでは計算式は出さないが、こうした非常に基礎的な熱のバランスを考えることで、地球表面の温度は計算でき、それは255Kとなる。つまりマイナス18℃である。これはあくまでも平均の温度である。なお、計算の詳細を知りたい方は、『環境物理学』など、地球科学や気象学の本を見ていただきたい。

マイナス18℃などとは、まるでおかしいと誰しも思うだろう。地上の温度は極地を除けば、少なくともプラスである。そのからくりが温室効果である。マイナス18℃というのは大気圏上層部の外側表面での話で、宇宙から見れば、地球はマイナス18℃に見えるということである。では、どうして大気圏の温度はもっと高いのだろうか。この先、しばらく物理学の理論を紹介し、その上で、温室効果の説明に入る。

光と黒体放射

地表に届く光は可視光である。太陽の光自体は赤外線の成分はあまり多くなく、主に可視光つまり、目に見える光である。可視光は電波と同じ電磁波なので、波長で記述できる。波長とは光の波が進むときの波の上がり下がり一つ分のあいだに進む距離を表す。可視光の波長はかなり短く、青い光で400nm（nmはナノメートルといい、1mmの百万分の1を表す。ここでは400nmは1mmの2500分の1となる）で、赤い光なら700nmである。

物体の温度と放射する光の関係については、黒体放射という理論がある（『環境物理学』など参照）。どんな物体でも放射する光の波長は幅があるが、物体が出す黒体放射の一番強い波長λ（ラムダと読

む：単位nm）は、物体の絶対温度T（単位 K）と反比例の関係にあり、

$$\lambda = \frac{2897800}{T}$$

で表される。太陽光は太陽表面の温度が5780Kなので、$\lambda = 500$nmとなる。地球の表面からの放射は、上の計算の255Kを使うと11400nmである。

また、シュテファン＝ボルツマンの理論により、毎秒放射されるエネルギーの総量は、絶対温度の4乗に比例することが知られている。つまり、高温の物体が放射する熱は、少し温度の低い物体に比べて、ものすごく大きいのである。高温の物体と低温の物体があると、両者とも赤外線の形で放射エネルギーを出しているが、毎秒のエネルギー密度は高温物体の方が多いので、最終的に高温物体が低温物体を暖める形になる。太陽と地球の関係で言えば、太陽は地球に対して大きなエネルギー密度の可視光の流れを与えており、一方、地球も太陽に対して、かなり小さなエネルギー密度の赤外光の流れで暖めているのであるが、両者のエネルギー密度の違いで、結局は、太陽が地球を暖めていることになる。

なお、上で求めた一番光の強い波長は、波長を横軸にとったグラフでの話で、横軸を光のエネルギー（振動数）でとった場合には、違ってくる。光の強さのグラフは、横軸を等間隔で区切ったとき、その幅に入る光のエネルギーを表している。光の波長とエネルギー（振動数）は反比例の関係にあるので、横軸が波長だと、エネルギーの分布の形を適切に表していないことになる。横軸をエネルギー

（振動数）でとると、波長の長い領域が縮めて表示されるため、それだけ単位エネルギー幅あたりのエネルギーが大きくなる。最も光のエネルギー密度が高い振動数ν（ニューと読む）は、

$$\nu = 5.879 \times 10^{10} T$$

で表され、その振動数に対応する波長は、

$$\lambda = \frac{2.998 \times 10^{17}}{\nu} = \frac{5.0995 \times 10^{6}}{T}$$

となる。

太陽光であれば、この波長は882nmである（図8）。一般的な教材に書かれている太陽光の一番強いところが500nm付近というのは、横軸を波長でとった場合の話で、今のように考えると、太陽光のエネルギー密度の高い中心は近赤外領域となる。光合成でクロロフィルを使うのはなぜかと言う理由も、実は太陽光のエネルギー分布が長波長に偏っていることと対応している。細かいことを言うと、水や酸素による吸収がこの領域にあるため（図中「海面レベルでの晴れた日の太陽光」の曲線にある多数の切れ込み）、それを避けた上で一番エネルギー密度の高いところがちょうど700nm付近のクロロフィルの吸収極大となる。このことは専門家でもあまりよく理解されていない点である。

一方で、地球の表面からの放射の極大については、温度として255Kを使うと、1998nmとなる。

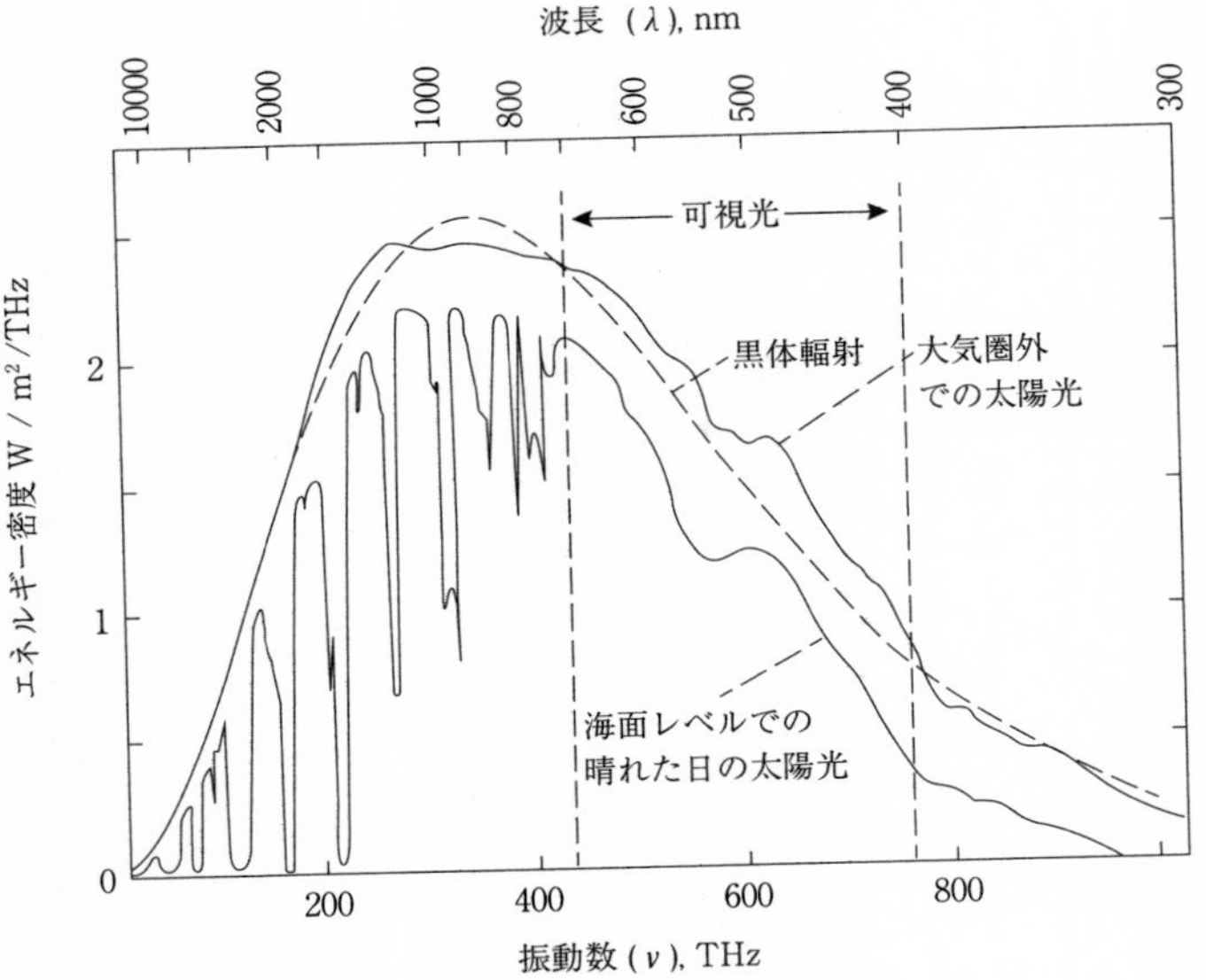

図 8　地表に届く太陽光エネルギーのスペクトル

注：THzはテラヘルツ、つまり、10^{12}Hzを表す。
（出典）　Ksenzhek (2005) p. 25より日本語化。

さらに別の単位である波数cm^{-1}を使うと、$500cm^{-1}$である。波数は波長の逆数であるが、波長の単位がnmで、波数の単位がcm^{-1}であるため、両者の積が10^7となる形になる。これは赤外線であるので、目には見えないが、サーモグラフィーなどの装置を使えば、可視化できる。ちなみに人間の体温を37℃とすると、これは310.15Kなので、16442nmあるいは$608cm^{-1}$の放射をしていることになる。地表面だと、季節や天気によって、10℃くらいから70℃くらいまでの温度になるだろうが、その場合、放射波長は18000ないし14860nm、波数なら556ないし$673cm^{-1}$となる。

光の吸収

色のついた物体は光を吸収する。それによって、その物体の温度は高くなる。黒い服を着ていると暑くなることはよく経験することである。道路のアスファルト表面の温度が高くなるのも、太陽からきた可視光が黒っぽいアスファルトに吸収されて、アスファルトの温度が高くなったためである。つまり、光のエネルギーが熱のエネルギーに変化したのである。こうして、太陽の光を吸収することで、地上のさまざまなものの温度が上昇する。

先にも述べたように、温度が高いとそれだけ多量の赤外線を放出する。赤外線は可視光よりも波長が長い。先ほどの計算では、地表面からの放射の極大は600cm^{-1}くらいであるが、実際にはかなり幅広い範囲の波長の赤外線が放射されている。すぐあとで説明するように3000cm^{-1}から1500cm^{-1}くらいの赤外線は大気中の気体分子に吸収される。色のついた物体の場合、可視光を吸収する。可視光の一部を吸収するので、吸収されなかった色が見えることになり、赤や青といったきれいな色になる。色のついていない物質でも、内部の分子の振動により、赤外線を吸収することができる。分子は原子がいくつも連なってできていて、その間の結合は微妙に揺れ動くことができるためだ。その振動は、分子の種類によって決まっていて、特定の波数の赤外線を吸収すると、その振動が強くなる。また、その振動のエネルギーを同じ波数の赤外線として放出することもある。まわりにどれだけエネルギー源があるかによって、吸収か放出かが決まってくる。

温室効果

そこで温室効果ガスが登場する。二酸化炭素は炭素原子に二個の酸素原子が結合した直線状の分子だが、その結合のところがペコペコと角度を変える振動ができる。また、原子間の結合は一種のバネのようなもので、結合距離の伸縮による振動もできる（島内 一九六六）。こうしたことの結果、二酸化炭素分子は、波長でいうと4257nm（波数では2349cm^{-1}）の伸縮振動と14992nm（667cm^{-1}）のはさみ型変角振動が赤外線を吸収するのに働く。同様にして、水の場合、3756cm^{-1}, 3655cm^{-1}, 1595cm^{-1}に吸収がある。地表面から出た赤外線の放射を主に吸収するのは水分子であるが、残った赤外線が二酸化炭素などの他の温暖化ガスによって吸収される。専門家の推定では、温暖化ガスとして最も重要なのは水蒸気であり、それに比べれば、他の温暖化ガスの寄与はかなり少ない。それでも二酸化炭素が増えると、特に水が吸収しない波数領域の赤外光を吸収し、地表面からの放射を吸収する割合も増えるということのようである。ともかく、大気中のこれらのガスが地表から放射された赤外線を吸収すると、分子運動が活発になり、結局は、それらのガスの温度が上がる。高い温度のガスは、それ自体として、その温度に応じた赤外線を放射する。その場合、赤外線の放射は、下向きに、地球表面に向かっても、また、上向きに、宇宙に向かっても行われる。こうして、話はかなり複雑になるが、地表と大気との間で、放射のやりとりがあることで、地表は暖められると考えることができる（図9）。ただ、太陽から入ってきたエネルギーは、最終的には宇宙に放出されるのであり、その収支はきちんとバランスがとれている。温暖化ガスが増えると、大気圏下層に留まる熱がわずかに増えて、その結果、地表近くの気温が高くなる。これを温室効果と呼んでいる。どこかにガラスの屋根のようなもの

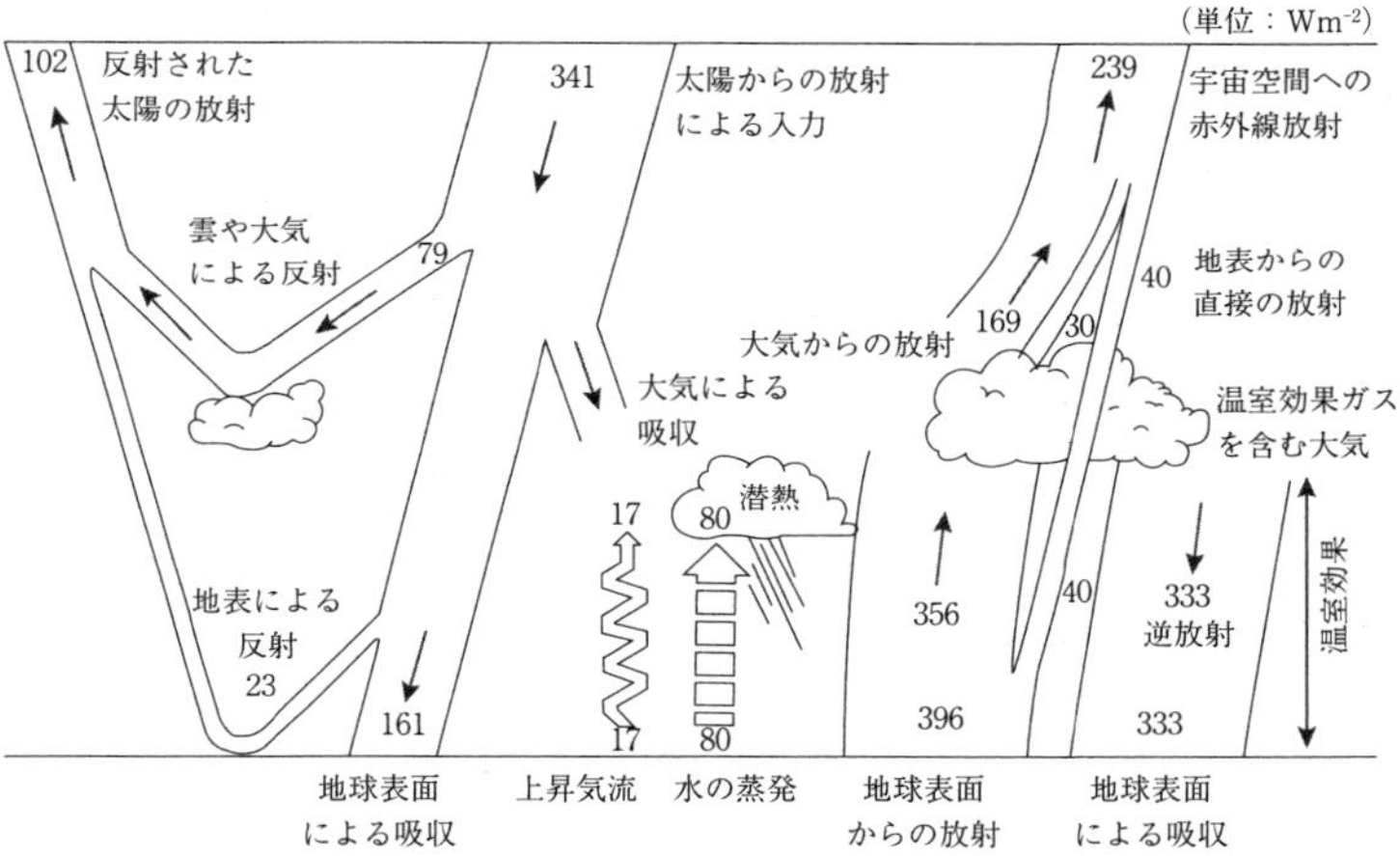

図 9　大気圏での平均的なエネルギー収支

単位はW m^{-2}。太陽からの入射光は、本文に述べた太陽定数で与えられるが、それは光に垂直な面での値で、昼夜、陸海、極地から赤道まですべて含めて、地球表面全体の平均は、341W m^{-2}である。これは太陽と地球の距離や太陽活動の強さによって変動する量で、歴史的変化はミランコヴィッチ理論などによって説明されている。10万年周期は地球の公転軌道の楕円率の変化による平均的な太陽地球間距離の変動となる。また、地軸の歳差運動による2.3万年の周期は、北半球に入るエネルギーの方が地球の気候には大きく効いていることで説明されている。

現状は図に示すようなエネルギーの流れとなっている。入射光は主に可視光と遠赤色光であるが、雲や大気による反射（アルベド）と大気による吸収のため、地表に届いて吸収・利用される光エネルギーは約半分の161W m^{-2}となっている。これはそのまま宇宙空間に放射されるわけではなく、水蒸気の潜熱を介した上層への熱の輸送や、大気中の温室効果ガスによる赤外線吸収と再放射のサイクルを経て、最終的に大気圏上層部から宇宙にすべて戻される。全体としてはバランスがとれていて、入ってきたエネルギーはほぼ完全に宇宙に排出される。しかし、大気と地表との間ではかなり大きなエネルギーのやりとりがあり、それにより、もともと太陽から入ってきたエネルギーが大気中に滞留する時間が長くなると考えることができる。その時間が短ければ地表は涼しく、長ければ暖かくなると理解するのが考えやすい。

（出典）『エントロピーから読み解く生物学』図８－１を改変。

があって、それが熱を閉じ込めているというわけではなく、太陽エネルギーが地球を経て宇宙に散逸していく過程における、非常に微妙なエネルギー滞留の状態を指している。

水蒸気の働き

もう一つ話を複雑化させる要因がある。それは潜熱の問題である。暑い日に地面に水をまくと、涼しくなる。これは、まいた水が蒸発し、その際に蒸発熱を周囲から奪うためである。かんかん照りの日中でも、植物の葉が冷たいのは、葉の表面からの水の蒸発（これを蒸散と呼ぶ）のおかげである。つまり、植物は常に土の中から水を吸い上げ、葉で蒸発させることによって、自らの体温を保っているのである。植物は太陽の光を受けて光合成をしなければ生きていけないのだが、一方で、熱は逃がさなければならない。人間も発汗という能力があり、暑ければ汗をかいて身体を冷やしている。暑いときに汗をかくと、よけい暑苦しく感じるが、それでも汗にはちゃんと働きがあるのである。

では、地球が温暖化しているのなら、そこら中に水をまけばよいではないかという考えもあるかもしれない。ところが話はそう簡単ではない。水が蒸発すると、まわりから熱を奪うといったが、ではその熱エネルギーはどこへいくのだろうか。それは水分子の運動エネルギーである。液体の水の中では、水分子は互いに結合したり離れたりを繰り返していて、全体として水の容積を保っている。水が蒸発して水蒸気になると、水分子は一個ずつバラバラに飛び交うようになる。それだけ大きな運動エネルギーをもっているのである。そのため、同じ温度の水と水蒸気（１００℃にならなくても水蒸気は存在することに注意）では、内部に含まれる分子の運動のエネルギーがまるで違うのである。これを潜熱と呼ぶ。同じ温度の空気でも、湿度の高い空気はそれだけ潜熱を多く含んでいる。湿った空気が上昇すると雲をつくり、雨を降らせる。ときとして雷や嵐を引き起こす。こうしたエネルギーはみな、水蒸気の潜熱によっている。つまり、水蒸気はそれ自体、エネルギーの塊なのである。地上で蒸発した水は水蒸気となって上空に達し、冷却されると水滴をつくるが、そのときには、蒸発で奪った熱をそのまま放出する。つまり、水蒸気は地表から上空に熱を輸送しているのである。水蒸気は温暖化ガスとして赤外線を吸収して暖まる他に、それ自体としても地表から熱を運んできていて、それを再び上にも下にも赤外線として放出する。大気圏内はいわばエネルギーのるつぼであり、複雑なエネルギーの流れがいくつも渦巻いているのである。それを詳しく解析するのが地球物理学やその応用としての気象学の仕事であり、気候変動の予測もそうした活動の延長上にある。つまり、最初に述べたような大ざっぱな地球の温度の算定は、単純な物理学の因果的決定論で理解できるのだが、実際の気候を考えるには、ずっと複雑なことを考えなければならないということをこれから説明していく。

第一三章　気候モデル

気候モデルと気候変動問題

二〇二一年、真鍋淑郎博士のノーベル賞受賞で話題となったが、地球全体の気候をモデル化して物理学の法則を最大限活用することにより、気候の変動を計算しようという研究が現在では盛んに行われている。これには、膨大な数の並列計算が素早くできるスーパーコンピュータが実用化されたことも大きく貢献している。しかし、いろいろ計算すれば、大気のこともわかり、気象の予報も、地球全体の未来も予測できるだろうなどと安易に考えてはいけない。まず、これは普通の物理学の問題ではない。もっと正確に言うと、高校物理で教わるような単純な因果的決定論が支配する物理学ではない。高校の物理なら、前提条件を公式に当てはめると、正確な答えが計算できる。本書の最初の方でも述べた「ラプラスの悪魔」である。では、気象や大気のことは何が違うのか、それは空に浮かぶ雲を眺めてみればわかる。雲はもくもくと湧いていて、ひとときも同じ形を保つことはない。つまり、雲はきわめて動的な存在なのである。大気は風として、世界中をめぐっている。気候に影響を及ぼす海の潮の流れも然りである。たとえば、昔の手動式のパチンコであれば、手元のレバーのところに球を載せて、非常に注意してはじけば、原理的には同じところに球を飛ばせるはずである。もちろん、手加減にはほぼ再現性がなく、簡単にパチンコで勝つことはできないわけだが、ボールを飛ばすという問題なら、限りなく同じようなやり方をすれば、ほぼ同じ結果を生むことはできるだろう。

何が違うのかというと、もう一度雲を思い出してほしい。雲ができる原理は中学校の理科でも教わる単純なもので、簡単に言えば、湿った空気が何らかの理由で上昇し、気圧が下がるために断熱膨張することで温度が下がると、含まれていた水蒸気が凝結して細かい水滴となるために、雲ができる。**図10**にその過程を模式的に示した。その場合、なぜ空気は上昇するのだろうか。暖かい空気は密度が低いので、軽く、浮き上がっていく。ところが、これから浮き上がる空気は必ずしも暖かいとは限らない。まわりよりも冷たくても、湿度が高いと、潜熱があるので、潜在的には温度が高い空気と見なすことができる。その場合、二方向からの気流のぶつかりとか、気流が山にぶつかるなどの理由で、無理矢理少し上昇させられると、断熱膨張により冷却され、凝結すれば、熱が生まれる。まわりの空気ははじめからその気圧にあり、もともとはその空気の塊よりも密度が低い。凝結が起きると、その空気の塊はまわりの空気に比べて温度が高くなり、まわりの空気よりも密度が低くなる。そうなると、自発的に上昇が始まる。もちろんどこまでも上昇するわけではないが、ある程度の高さまで昇って、まわりの空気と密度が等しくなったところで、上昇がとまる。その上昇過程では、空気の塊は水蒸気が飽和している（湿度が100%）ので、上昇して冷却されるにつれて、雲を生み出していく。こうして、もくもくとした積乱雲ができあがる。

積乱雲ができる際の空気の塊の状況は簡単に言えばこうなるが、空気の塊といっても明確な境界があるわけではなく、一つの空気の塊の内部でも温度や湿度は不均一である。そんなわけで、部分的に

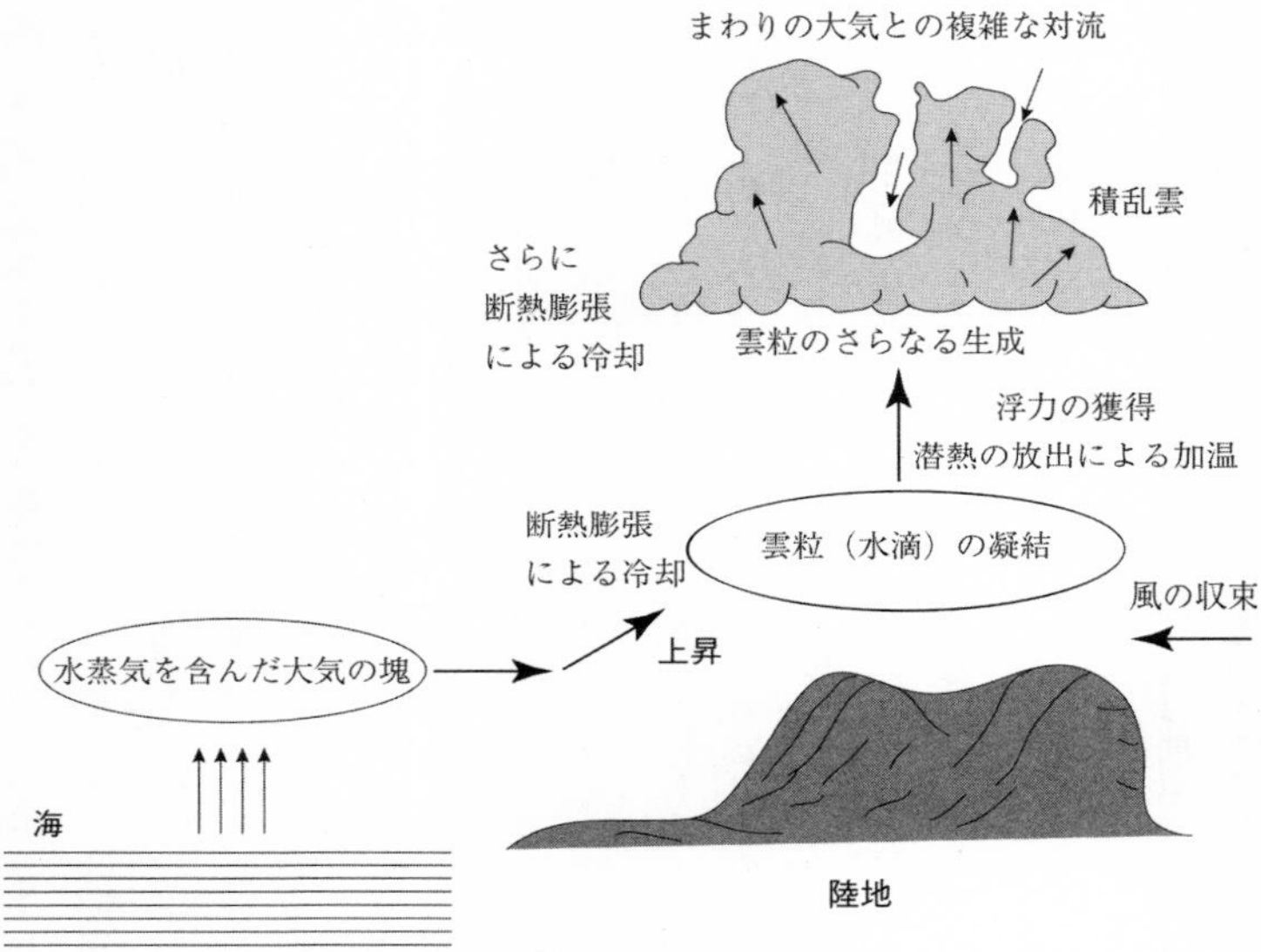

図10　雲ができるプロセスの模式図

もくもくとした雲ができるのは複雑な気流のぶつかりと対流による。大気塊は海から水蒸気をもらい、湿った大気塊が陸地に移動すると、山地によって上昇させられたり、反対側から来る気流とぶつかることによる風の収束によって上昇させられたりする。もともとはまわりの大気よりも密度が大きいとしても、強制的に上昇させられると、断熱膨張により冷却して、湿度が100%に達することにより、含まれていた水蒸気の凝結（水滴になること）が起きる。これにより、潜熱が放出され、大気塊は暖まり、まわりの大気に比べて密度が小さくなる。それにより浮力を獲得して、大気塊は自発的に上昇を続ける。上昇に伴い、断熱膨張、冷却、凝結、潜熱放出が続き、積乱雲が発達する。ある高度からこの過程が始まるので、積乱雲の下端はだいたい平らになる。しかし、雲は均一ではないので、部分的に上昇気流が強いところと、周囲の大気が下がってくるところができ、対流が起きるため、もくもくとした雲になる。一般的な気象学の教科書では、最後の雲の中の対流についてはあまり触れられていないが、それは、積乱雲が生じて大雨が降ることを説明するのが目的であるためと思われる。

上昇速度はまちまちになり、気流も渦巻いたりするようになる。こうしたプロセスは、大まかに何が起きるかを予測することはできても、細かいところまで予測することは難しい。仮にそうした実験をしたとしても、二度試して二度とも全く同じ形の雲が生まれるわけではない。

対流と散逸構造

もっと簡単に同様のことを試してみることができる。それは台所にある鍋でお湯を沸かしてみることである。味噌汁の方が、水流の流れがよくわかる。味噌をとかした水を鍋に入れ、下から加熱する。本当は、限りなく均一に暖めるとこの話の原理がわかるのだが、できる範囲で均一に暖めてみる。そうするとやがて、水流は渦巻くようになり、対流が生ずる。そのとき、うまくやると、いくつもの上昇流とそのまわりの下降流ができる。全体として、蜂の巣状になるので、こういう構造をハニカム(honeycomb) 構造と呼ぶ。家庭の台所では、完全に均一に加熱するのは無理だが、昔、こうした実験をきわめて丁寧に行った人がいた。ベナールというフランスの科学者で、均一に暖めても、対流の渦がハニカム構造をつくることを一九〇〇年に報告し、その後、これはベナール対流と呼ばれることとなった。味噌汁の対流と積乱雲形成のしくみが似ていることは、先日、ＮＨＫのバラエティ番組「チコちゃんに叱られる」でも扱っていたので、覚えている方も多いだろう。

ベナール対流は熱対流とも呼ばれ、小学校の理科でも、伝導と輻射とともに、三つの熱の伝わり方のうちの一つとして教えられるのだが、本当に理解するには、非常に複雑な物理学の理論を理解する必要がある。つまり、対流はものの流れが組織化されてできるもので、その組織化はなぜか自発的に起きる。もっと詳しくいうと、何かわずかなきっかけから、対流の流れが始まり、あとは、そのまわりに流れが組織化されていく。そのわずかなきっかけのことを「ゆらぎ」と呼ぶ。ゆらぎがもとになって形成されるこうした構造のことを、散逸構造と呼ぶ。散逸構造は、外部から流入するエネルギーの流れと、内部での不釣り合いから生ずる。対流の例で言えば、下からの加熱と、それによって起きる水の加熱膨張と、上下の密度の逆転である。つまり、重力も大切で、重力に逆らった変化を外部からのエネルギーによって生じさせると、そこで、上下の水の反転が起きる。エネルギー流入が続く限り、この反転が続くので、継続した対流の流れができる。

私は、微生物の集団が形づくる対流を以前に研究していた。これは生物のもつ創発性の一つの表れと考えられる。海の赤潮なども同様で、長大なしま模様に見えるが、それは、細胞が表面に浮かんできて、しま模様のところでまとまって沈むという「生物対流」を、非常に大きな規模で行っているためと考えられる。同様のことは至る所で観察される。池に生えた緑色の藻でも、まだら模様に見えることがある。これも、生物対流の例である。実際、二種類の相反した駆動力がぶつかるところでは、どこでも同じような散逸構造ができる。横断歩道を向こうとこちらから進む人々の群れも、しばしば、向こう向きとこちら向きの流れが交互に並んだような形になる。これは対流とは言えないが、流れの構造形成の例ではある。つまり、向こう向きに進む人は、最初は逆に進む人とぶつかって歩きにくいかもしれないが、やはり向こう向きに進む他の人は、前の人についていけば進みやすい。そうしたことが自然に働いて、一度できた人の流れはより一層強化されることになり、それが、逆向きの流れが交互に並ぶ原因となっている。上昇気流も、一カ所で上昇が始まると、まわりにある軽い空気はそれを追いかけるように進むので、上昇気流が促進される。また、凝結が起きることで熱が放出されると、さらに上昇していく。逆に雨の滴を含む下降気流は途中で水が蒸発するために冷却され、流れがさらに強まることでダウンバーストという危険な強風を生み出す。このように、自然現象には。わずかなゆらぎがきっかけで始まった運動が、どんどんと強化されて、大きな流れになることは多い。川の流れができるときを考えると、最初は小さな流れだったとしても、次第に地面を浸食して大きな流れになるはずだということは、容易に想像がつく。

雲の予測

雲の形成も同じように考えることができる。一つの空気の塊がまわりよりも密度が低くなって上昇を始めても、その中でも密度の違いがあるので、内部でも上下の空気の反転が起きる。全体としては上昇していても、対流の散逸構造ができるように、いくつもの上昇気流と下降気流ができる。それが雲が「もくもく」と見える理由である。それでは、こうした個別の雲の形成過程を、気象の予報では予測できるのだろうか。どこまで細かく計算しているのだろうか。

『気象学の教科書』(稲津 二〇二二)によると、現在の気象庁のやり方では、何段階かの細かさの気象モデルを使って計算している。一般的な天気予報で使われる計算では、日本全国を5kmのマス目に区切って、そのマス目ごとに一つのデータを当てはめ、一定時間ごとに計算をするそうだ。これは領域モデルと呼ばれる。現実には日本だけで話は閉じていないので、もっと大きな地球全体のスケールでの計算も必要になる。全球モデルでは、地球全体を20kmごとに区切り、それで大気の状態のデータを入力して、数分~数十分刻みで、逐次計算していく。これで得られた結果を日本周辺のスケールの計算の境界条件として、地域だけのより精度の高い計算を行うのである。『激しい大気現象』『豪雨・豪雪の気象学』によれば、大きな災害が起きたときなどは、事後的に、その地域だけに絞ったメソスケールの非静力学的雲解像モデルで、2km以下のマス目の詳細な計算も行い、豪雨の原因を詳しく調べるそうである。この場合には個別の積乱雲の形成まで計算することができる。逆に、普通の気象モデルの計算では、「対流パラメタリゼーション」と呼ばれる方法で、個別の雲の生成に伴う対流を一つのパラメータによって代替することで単純化することが一般的のようである。

最近話題の線状降水帯は、メソスケールでの積乱雲が群発する現象であるが、こうしたものが発生する過程をシミュレーションするには、細かいマス目を使った詳細な計算が必要になる。しかも、計算をするには、データが必要である。観測点は地上ならかなり細かく設定することができる。アメダスの観測点は17kmおきに設けられている。しかし、海上はそうは行かない。船を出すなどして観測する必要があり、いくら細かいマス目の計算といっても、入力するデータはそこまで細かい解像度のデータにはならない。また、水平方向だけでなく、垂直方向にも分割して計算をする必要があり、上空のデータも必要である。そもそも、上空の大気の温度・湿度・風向風速がわからなければ、計算ができない。日本中でいくつもの観測用気球を上げて、そのデータを利用して、高層天気図をつくる。高層天気図は、850hPa, 700hPa, 500hPa, 300hPaなどの気圧面（hPaはヘクトパスカルと読み、気圧の単位。大気圧はだいたい1000hPa）ごとに、風向風速のほか、等高度線と等温線が描かれている。測定点は地上の測定点とだいたい同じようだが、地上でも高層でも、5kmごとのデータなどとれるはずはないので、結局、この段階で、途中の点のデータは補間してつくっていると思われる。

地上の天気図については、私自身、中学生の頃に、気象に関心があって、毎日午後四時に、ラジオの気象通報を聞いて、天気図を描いていた。山登りをする人は描いたことがあると思う。日本中で結構な数の観測点があるものの、それらの天気、風向風力、気圧、気温を記入した上で、その後は、等圧線をその間をうまく通るように目分量で書き込んでいく。結果的に、どこの地点の気圧も与えられることにはなるが、結局は補間したり、場合によっては外挿したりしているわけである。海上は、定点観測船が留まっている北緯二九度東経一三五度など、いくつかの点が必ずあったが、これは一九八一年をもって、レーダーや気象衛星に置き換えられた。海上のデータは、そのほか、鳥島などの離島の測候所の観測点に依存していた。沖縄の宮古島、隠岐の島の西郷、佐渡島の相川、五島列島の福江などがある。梅雨時の日本の気象にとっては、南の海からの湿った空気が豪雨の原因となるので、南の海上のデータが非常に大切である。また、冬の日本海側の豪雪に対しては、日本海上のデータも必要になる。昔はなかったが今は使われているものに、気象レーダーや気象衛星の画像がある。こうしたものを活用することによって、測定点を増やすことができ、特に海上の大気の状態に関するデータが取りこぼしなく得られるようになったのは大きな進歩である。

天気予報の難しさ

こうして、ともかく実データを使ってスーパーコンピュータを用いた大規模計算が行われ、それによって、一時間後、二時間後の大気の状態が予測できる。新しいデータを加えて次の計算をする。そうしたことの果てしない繰り返しによって、私たちがいつもテレビなどで見る天気予報がつくられている。では、こうした計算は正確なのか。単純な高校の物理学の計算なら、データさえ与えられていれば正確な計算ができるはずである。しかし、私たちは、天気予報が割と当たるようになったとはいうものの、大外れになることもあることを知っている。それはなぜだろう。物理学の法則（科学）には間違いがないとすると、データが正確でなかった（観測技術）のか、あるいは、法則を実際に当てはめて計算する手続き（計算技術）に問題があったのだろうか。

データの粗視化から考えてみよう。現実のものを対象とした計算をするには、まさか一個一個の原子分子のレベルで計算をするわけにはいかない。非常に小さなスケールであっても、何しろ、標準状態（0℃、1気圧）で、22・4リットルの空気には、アヴォガドロ数個（6×10^{23}個：およそ、一兆個の一兆倍）の分子（窒素と酸素を合わせて）が含まれているのだから、それらを直接計算することはできない。もともと、ラプラスの悪魔の話などは実現不可能なものなのである。一方で、すでに述べたように、雲の形成過程を計算するには1km程度の区画を一つのデータとして扱うことで可能になる。そのギャップはすでにかなり大きいことがわかる。なにせ1km四方を一個のデータで代表させてしまうのであるから、随分と大ざっぱなものである。逆に言えば、この程度の計算でも雲の形成が何とかわかるというのである。線状降水帯の予測が最近出されるようになったが、それでもいまのところの的中率は25％だそうである。こうした計算ではやはり完全に正確に計算するのが無理なのは納得できる。普段の天気予報はもっと粗い計算しかしていないのであるから、時として予報が大外れになるのもわかる気がする。

もう一つの問題は、計算手続きである。実際に数値計算を体験してみないとなかなかわからないかもしれないが、物理法則と数値計算には大きな違いがある。物理法則はほとんどの場合、連続的な空間、連続的な物体、連続的な時間を前提として理論化されている。物理法則なら、連続性を前提として、微分や積分という演算操作をする。しかし、実際に数を当てはめて計算するには、すでに述べたような粗視化を使い、空間的に区切って細かい区画を単位として計算するだけでなく、短い時間ごとに区切って、次の瞬間の状態を計算していく。微分ではなく、差分という手法を使う。それでも、たいていの計算では、だいたい正しい数字を出すことができる。それには十分に細かな空間の区切り方と時間の刻みが必要である。計算の手続きは微分方程式を解くということになるが、多くの場合は、何らかの近似を使う。理論的に考えられる計算式通りだと計算に手間が掛かる場合、実用的に使える範囲で、近似的な別の計算式を使うことが多い。近似計算が悪いということはないのだが、時として、近似が成り立つ前提条件があてはまらなくなることも起きるかもしれない。気象学の理論書にも、理論的な式と、１%位の誤差であてはまる近似式が紹介されている。結局、実際のデータも、空間的に非常に細かいものではないので、ある程度の誤差を許容した上で、妥当な時間で計算ができる方法を使うことになる。しかし、細かい時間での計算を積み重ねて行くにしても、どこかで誤差は許容できなくなることもあるだろう。気象学の教科書によると、天気予報はせいぜい二週間までしか計算できないそうである。それ以上は、その季節の平均的なものになってしまうそうだ。おそらく、その季節の平均値を前提として計算をしているということであろう。

天気予報に携わる人々は皆さん一生懸命に仕事をしておられるに違いないのだが、実際の計算はそこまで精密にできるわけではなく、結果として、天気予報は当たらないこともあるわけである。それでも、最近の天気予報では、これからここに低気圧が発生するとか、前線ができるとか、今存在しないものを予測して、実際にその通りになることがある。これは数値予報の技術がかなり進歩した証ではある。

検証なきモデル計算

最近では、コンピュータシミュレーションは、いろいろなところで使われている。コロナ禍でのコンピュータシミュレーションの利用については、すでに詳しく述べた。コンピュータシミュレーションが科学か技術かという議論は他のところでも書いたが、私は技術だと思う。天気予報もそうである。これに対して、ウイルスとは何か、コロナウイルスの本体がどんなものかということは、科学の領域に属すだろう。天気予報の場合にも、断熱膨張など大気の振る舞いを表す基本的な法則や、水の蒸発と水蒸気の凝結の物理化学などは科学の領域にあるだろう。一般の人々の目から見ると、科学と技術の境目はわかりにくいかもしれない。大気の観測技術にも科学的な知識が利用されているし、感染者の治療にも科学的な知識が使われる。どこまでが科学でどこからが技術なのか、たしかに入りくんでいる。

シミュレーションが技術だとすると、それは正しいのだろうか。技術というのは正しいか間違いかではなく、どの程度使えるかということで評価すべきものだ。絶対的な正しさを求めるのはもともと無理で、計算の原理から考えて、ある程度の近似計算であることはやむをえない。計算に使うデータも完全とはいえないことも多い。そうなると何が大事かというと、検証である。科学でも検証という手続きはあるのだが、技術の場合には繰り返し検証することが大切である。もともとある程度の近似だという前提で考えるならば、時折、現実のデータと突き合わせて、どの程度現実を表しているかを確かめる必要がある。それによって、計算に使っているデータを修正したり、計算式の中に入っている定数を変更したりということが必要になるだろう。新型コロナ感染者数の推移では、基本再生産数や感染期間など、計算の前提となっている数字があり、これらは、過去の経験からだいたいの数を当てはめているのだが、実データを使って時折修正していくことが大切である。以前に出されたシミュレーションでも、研究者の一方的な思い込みによって、「いまのまま何も対策をとらないと」ここまでひどいことになるなどという、ある意味、脅迫のようなものが堂々と報じられた。何か客観的な証拠をもって、これからの推移を計算してくれるならよいのだが、結局のところ、全く無知な未開人というか、家畜というか、群集をそんな風に扱って脅かすようなことしかしてこなかったのは、計算科学者のモラルというか、考え方のお粗末さを露呈しているように思われた。それでも、最初は、マスコミはこうしたセンセーショナルな発言を、「科学者の」見解として報道し、はやし立てていた。少し考えれば、どこかおかしいことぐらいはすぐにわかるのだが、誰もそうした意見を公にはぶつけなかった。それでも、ネットの書き込みなどではさんざん批判が集中したようで、やがて、こうしたナイーブな警報を発する計算科学者はなりを潜めることになった。私もちょうど執筆中だった前著『科学哲学へのいざない』の中で、何度もこうした不注意なシミュレーションの問題を指摘した。

では、気候問題ではどうなのだろうか。気候変動のシミュレーションは、毎日の天気予報よりも精度が高いのだろうか。いくらノーベル賞を受賞したからといって、気候変動予測のシミュレーションが絶対に正しいということは誰もわからないのではないだろうか。普通の天気予報は、現在使えるあらゆるデータを動員しても、二週間くらい先までしかわからないのに、これから一〇〇年間の気候変動の予測が正しいのだろうか。毎日の天気予報に比べれば、随分と粗視的な計算をしているわけで、毎日の変動や、季節変動、地球の各地で起きる事象なども全部ひっくるめて、大きく地球の平均気温が一〇〇年間で6℃上昇するというような予測が果たしてどれだけの根拠があるのだろうか。こうした計算には、どんなデータを加えてどんな影響を加味して方程式を立てるのかということからして、不確定なところが多い。しかもそのデータがどれだけ厳密なものかもなかなか評価できない。気流の変動や海流の変動などを非常に大づかみに考えて、方程式に入れていくとすれば、そこで、さまざまな定数を使うはずである。その定数（パラメータなどと呼ぶ）は仮定する条件次第で微妙に変わるだろう。面白いことにこうした計算は時間に関して可逆なので、今のところ、過去の気候変動は比較的うまく再現できるそうである。しかし、それは、過去をうまく再現できるようにパラメータを調節した結果かもしれない。考慮に入れていない要因があっても、手持ちのモデルのパラメータの調節で何とかなってしまうのかもしれない。その意味では、過去を再現できるモデルに基づく計算でも、未来を正しく予測できる保証はない。実際、前に引用した完新世の気候変動のシミュレーションは、過去の実測値も説明できていない。

すでに温室効果を説明したところでも、簡単な計算で温室効果を再現できることを紹介したが、太陽から暖められている条件下で、適当な赤外線吸収量をもつ大気があれば温室効果が生じるのははじめからわかっていることで、結局、今の状況で、実際にどの程度の変化が起きるかということが問題である。しかし、粗視化した計算では、細かな雲の渦巻きや海流の渦巻きなどは含まれていないはずで、そうしたものはまるごとパラメータになっている。その場合、実際の雲がもくもくしているように、地球上の大気も海流もダイナミックに流れていて、その状況をシミュレーションすることは容易ではない。それを大づかみに見て、将来はこの程度気温が上がると予測するのはやはり、技術的に限度がある。それなのに、気候温暖化のせいで台風が激甚化したとか、豪雨が頻発するなどという発言をよく耳にするが、そんな計算は気候変動の計算には組み込まれていないはずである。もしも組み込むと、それらは大気をかき乱して均一化する方向に働くので、上空への熱放散を加速し、温暖化を軽減する効果があるようにも思える。きちんとした計算が必要である。因果的決定論で解決できる問題とそうでない問題があること、そして、現実の問題の大部分は後者であることを理解することで、気候変動問題をどう捉えるかという考え方につながる。

気象の知識のどこまでが科学理論で、どのあたりは技術なのかということを区別するのは難しいかもしれない。現実に観測ができなければデータが得られないので、観測技術や設備に依存する部分が多いかもしれない。それでも、豪雨発生のしくみや台風の構造や発達のしくみなどについては、徐々に理論が整ってきている。線状降水帯などという言葉も日常化したが、その発生のしくみはまだまだ解明されていない点も多い。その上に地球規模の気候を考える理論が構築されている。こうした科学的な探求活動が常に必要なことは当然だが、理論を現実世界での政策に活かす方策や技術については、科学理論とは別に検討する必要がある。

第一四章　気候変動と科学・社会

いつの間にか定説になった気候変動

すでに説明したように、地球の平均気温が次第に上昇していること自体は確かで、それは一九〇〇年頃には始まっていたが、この五〇年間くらいの上昇は顕著である。その原因としてあげられるのが、二酸化炭素などの温室効果ガスの濃度上昇であり、その原因は人間の経済活動にあるということが今ではごく当然の定説となっている。しかし、この説はすでに一九八〇年代から言われていて、ＩＰＣＣの第四次報告書ではすでにかなり明確な形で示されていた。しかし当時の受け止め方としては、これはあくまでも仮説で、証明されたものではない、シミュレーションは前提や条件、計算方法などによっても大きく変わりうるものなので、決定的なものとは言えない、というくらいのものだった。その後、シミュレーションはだんだんと精緻化されてきてはいるものの、大きな理論的進歩があるわけではなく、大筋で大きな違いはない。にもかかわらず、現在では、温暖化を防止するために二酸化炭素を減らすということは、当然のことのように言われている。このような世間の態度の変化はなぜなのだろうか。

一つ考えられることは、気候変動をテーマとしたさまざまなプロジェクトが動いていることである。

政策レベルで、二酸化炭素排出を減らすことを目的としたプロジェクトが多数設定され、それに従って研究費や補助金を交付するという事業が行われている。科学研究においても、二酸化炭素排出を減らすことを謳ったプロジェクトがあり、それに向かって各研究者が応募し、申請が認められれば、研究が行われる。その場合、気候変動の原因が二酸化炭素であるかが問題なのではなく、人間活動が原因で放出される二酸化炭素を減らす取り組みをプロジェクトとするわけである。たとえば、生物系で人気なのは、化石燃料を使う代わりにバイオ燃料を活用しようというプロジェクトである。これは、これまで活用されてこなかった生物資源を実際に人間活動に利用できるようにしようという点で、目標が明確で、実現可能なものだからである。採算の問題はあるが、まず、技術的にできるかどうかを研究してみようというものだ。私自身も、藻類を使って油脂を生産することに関する研究を行っていたが、その場合、最終的に二酸化炭素が気候変動の原因であるかどうかは研究テーマではない。藻類による油脂生産を最大化するという明確な目標設定のもとで、さまざまな要因を調べて最適化するのである。これ自体は応用的な科学研究としてはごく普通のやり方で、ある目標を定めて、諸条件を整えてその目標を達成しようとするわけである。

ところがそこで話は逆転する。こうしたプロジェクトの成果発表会や記者発表などの場では、気候変動対策としてこういうプロジェクトをやっていることの意義が強調され、その一部として、こういうことが達成できたという形の報告が行われる。研究者の立場とは全く違う形で、プロジェクト的な成果発表が行われる。プロジェクト的という意味は、政策的、つまり、政府なり事業出資者の掲げる大目標に対する適合性をアピールするわけである。研究者もいつの間にか洗脳されてきて、それが目標であるように思い込んでいく。科学研究はいつもこうしたギャップの中で運営されてきていて、上から定められた大目標があり、その中で、その目標に向かってこれだけのことができたという表向きの評価がなされる。一方で、研究者自身は、自分の研究テーマがあって、その範囲内で、プロジェクトの目標設定とぎりぎり折り合いのつくところで研究をしている。研究者にとっては、研究費が得られればよく、プロジェクトそのものの目標が達成されるかどうかは、一義的な目的ではない。そのことは官僚や事業者もよくわかっていて、こうした二元論の中でどんなプロジェクトも動いている。事業者と研究者という全く立場の違う主体が微妙な接点を介して共同作業をしている。政治や国際政治なら、こうしたことはいくらでもあって、本来の目的は全く異なるとしても異なる国や異なる政党が、特定の目的のために協力することは当たり前のことですらある。

科学研究に限らず、気候変動対策として、電気自動車の推進や自然エネルギーの活用など、さまざまな技術開発プロジェクトが政府主導で行われている。こうしたプロジェクトに参加して補助金を受け取ることは企業にとっても大きな収入源である。結局のところ、気候変動の理論がどうであろうと、ともかく補助金が受け取れればよいのである。こうして、企業も研究者も、国が主導する気候変動対策としての二酸化炭素排出削減のためのプロジェクトに深く関わるようになった。では、気候変動の本当の原因が曖昧なままで、国はなぜそうしたプロジェクトを策定したのだろうか。

官僚の業績評価は、新たな予算の獲得である。どんな理由であっても、今までになかった項目の予算をつくり出すことができれば、それは官僚の最大の業績である。一方で、その予算を創設することを認めることは財務省の官僚にとっても新たな政策を打ち出すことになる。政治家も同じである。新たな政策は自分の業績になる。こうして、みんなの業績となる形で、いつの間にか気候変動対策という巨大プロジェクトが策定されてしまった。これは日本だけが問題なのではなく、世界規模で同じようなことが動いているので、乗り遅れるわけにいかないのである。従来の自動車産業で遅れをとっていた国は、電気自動車を推進することで、自国の新たな産業を強化できる。いままでの技術のままでは、その技術の先進国の独壇場のままである。他の国は、その状況を何とか切り崩したい。そのための恰好の口実が気候変動対策であった。これは世界規模の問題であり、また、細かいところで真偽はよくわからないものの、何となく正義の闘いのように見える。少なくとも環境をよくすることには貢献しそうなので、よいことをしている振りはできる。こんなところではないだろうか。本来、電気自動車はそれ自体二酸化炭素排出には何も関係ない。使う電気をどうやってつくるかにかかっている。にもかかわらず、自動車が走るところだけ見ていれば、排気ガスを出さないので、クリーンに見える。実に狡猾なイメージ操作が世界規模で行われ、それに日本企業は打ち負けてしまった。ハイブリッド車を開発するトヨタなどの考え方の方が、本当の意味で二酸化炭素排出削減につながるはずなのだが、見かけのイメージ操作と巨大な中国市場という目先の利益のため、電気自動車でなければいけないという世界的な潮流ができてしまった。この場合、トヨタはハイブリッド車を開発したが、これは、電車の回生ブレーキと同様、運動エネルギーを電気として回収するもので、実質的に確実な資源節約となる。トヨタが電気自動車に二の足を踏んだのは、電気自動車は発電のしくみが何であるかによって、二酸化炭素排出量は変わってくるからで、日本の状況を考えれば当然のことだった。これに対して、既存の自動車産業を覆して新たに産業を興そうとする勢力は、電気自動車が気候変動対策の切り札であるかのように謳い、電気自動車へのシフトというキャンペーンを成功させた。電気自動車が環境を汚さないように見えるとしても、発電のしくみによって、本当は環境汚染も二酸化炭素排出もあることを隠して、政策を動かした。

これが象徴的なできごとである。気候変動の原因が二酸化炭素であるかどうかはどうでもよく、商売になればよいのである。新たな産業がつくれれば、それで新たな雇用や市場が生まれる。最終的に二酸化炭素削減が地球を冷やすことにならなかったとしても、それはずっと先のことであるし、そのときは新たな技術開発をすればよい。こうして、世の中が動いてしまっている。そのときに、気候変動の原因が人間活動による二酸化炭素排出であることは大前提である。それは社会的な前提ではあるが、科学的な前提ではない。科学のレベルではなにも変わっていない。依然として有力な仮説のままなのである。しかし、科学のレベルで否定されることがあったとしても、世の中はもう変わらない。

技術問題から政策になった気候変動

政策決定に使われる理論は、ふつうは社会政策や経済政策の理論だが、近年では、科学理論がそのまま政策立案に使われる事態になっている。

地震対策では、地震を起きなくすることはできないが、地震を予知できるとする科学理論に基づいて、予知のための政策が行われた。地震が起きても大丈夫な対応策（このあとでは適応と呼ぶ）もさまざまにとられた。建物の耐震化などである。それに対して、気候変動問題では、気候変動に対する対応策ではなく、気候変動を起こすしくみの科学理論に基づいて、気候変動が起きないようにする政策

（緩和策）が打ち出された。

政策を決める政策決定者は、独裁国家や専制国家では、特定の個人や集団に固定されているため、政策の善し悪しの評価はある程度するものの、政策決定者の地位保全が最優先される。民主的な選挙で実質的に政策決定者が交替する国家では、政策が優先されている。日本はその中間で、政策決定集団はほぼ決まっていながら、政策はある程度入れ替えができている。政策が異なると、それによって利益を受ける企業も異なるので、大きな企業が政治を動かそうとする。独裁国家では、権力に向かって利益集団が働きかける恒常的な汚職の枠組ができてしまう。

国内的にはこのように政治体制によって、政策立案のしくみは異なるが、気候変動問題のような地球規模の問題では、個々の国家の事情を越えた普遍的な理論が優先される。その場合、気候変動への対応策は個別の国家ごとに異なるが、気候変動を起こさないための対策は理論に依存していて、国家によらない。しかし、排出権取引、太陽光発電、高性能蓄電池、電気自動車など、実際の問題は経済的な利益を追求する形で行われ、現実には、グローバル企業の利益に結びついている。太陽光発電や電気自動車は、気候変動理論とは関係なく、環境問題への対策としても有効であるので、しばしば気候変動問題と環境問題が混同される原因となる。

本気で気温を下げたいなら…

私が疑問に思うのは、本気で気温を下げたいのであれば、問題の根本に立ち返って考える必要があるのではないか、ということである。地上の気温は太陽からのエネルギーの入力と、地球から宇宙へのエネルギー放出、それに、地球大気圏でのエネルギーの滞留の三つの要因できまる。二酸化炭素が関わるのは三番目の項目である。二酸化炭素が多いと地表の熱がすぐに宇宙空間に出ていかず、滞留する時間が長くなる。それで、気温が高くなる。一方で、本気で気温を下げるには、入力を減らすという考え方もある。これはかつてはいろいろな人が提案したようだが、最近では顧みられることがない。簡単に言うと、地面で太陽光が吸収されるのを防ぎ、全部反射して直接宇宙空間に返してしまうのである。前に説明したアルベドという概念は、地表面の反射率を表している。雪や氷は非常にアルベドが大きく、そのため、かつて全球凍結といって、地球全体が凍結したときには、太陽光をみんな反射してしまうため、よけいに冷却が進んだのである。

これにはもう少し説明が必要だろう。前に説明したように、温暖化ガスが吸収するのは赤外線である。可視光ではない。そのため、太陽から来た可視光をそのまま反射してしまえば、これは温暖化ガスに邪魔されることなく、そのまま宇宙空間へと出ていくのである。そのため、実質的に地球にエネルギーが入ってこない。**図9**でも示したように、太陽光のもともとのエネルギー流入量は341Wm^{-2}だが、地上に届き吸収されるのは161Wm^{-2}である。それでもこれを全部あるいは大部分宇宙に跳ね返してしまえば、そもそものエネルギー入力がなくなる。地表のどれだけの面積でそのことが可能なのかはわからないが、太陽光パネルを並べる代わりに鏡を置くというのはありうる話だろう。砂漠の緑化の代わりに銀色の砂漠にしてしまえば、砂漠も涼しくなるに違いない。海は難しいが、一次生産のほとんどない海洋中央部で表面に光を反射するものを置くと、気温も下がり、また、台風もできにくくなるかもしれない。技術的には非常に難しいと思うが、何か考えられないのだろうか。

日常生活の中でよく経験するのはアスファルトの道路が灼熱地獄となっていることである。仮に白く塗装すれば、かなり温度を下げることができるはずなのだが、まぶしくなって自動車の運転には適さない。それでも東京オリンピックのマラソンコースなど、舗装材料が工夫されはじめているようである。温暖化対策と称してビルの屋上の緑化などが行われているが、これは太陽光の吸収を促進し、しかも水の蒸散により潜熱を多く含む大気を放出するので、本当は温暖化防止にはマイナスだと思う。緑化によって得られる有機物をどう利用するかにも掛かっている。それよりは、ビルの屋上を真っ白か銀色に塗れば、そのビルの冷房が節約できる。一般住宅でも屋根に太陽光発電システムをつけることが東京都では義務化されるそうだが、温暖化防止ということだけなら屋根を白か銀にすればよい。都市部はヒートアイランド現象によって気温が周辺よりも高くなっている。それを防ぐだけでも、街全体での電力消費量を減らすことにつながる。積極的に太陽光発電をすると、あの真っ黒なパネルで、電気にできる分（せいぜい二割）もできない分も含めて、太陽のエネルギーをまるごと取り込むことになり、化石燃料を消費しないことで二酸化炭素放出を減らすことはできても、気候をよくすることにつながるかどうかわからない。太陽電池パネルが本当に二酸化炭素削減対策になっているのかは、半導体材料の作成から最後の廃棄まで含め、環境汚染につながりうるかなりの工程が含まれることも考慮して、しっかりとした検証が必要である。

気候変動対策――緩和と適応

いろいろ考えたとき、私が必要だと思うのは、緩和ではなく適応である。すでに国のレベルでもこの二つが重要な気候変動対策として策定され、政策としては実行され始めているが、どうしても緩和策ばかりが話題となっているようだ。緩和という意味は、気候変動が起きるのを何とか食い止めて、気候変動そのものが起きないようにするというもので、それには気候変動の原因を突き止めて、原因をなくすことが必要である。そのとき、二酸化炭素などの温室効果ガスの排出が気候変動の主な原因であることがわかっているとすれば、二酸化炭素排出の削減を進めればよい。これがここまで述べてきた気候変動対策の話であった。

これに対して、気候変動対策には別のやり方がある。気候変動そのものは防げないもの、やむを得ないものとして、気候変動が起きても人間がきちんと暮らしていけるようにするという政策が必要である。これが適応と呼ばれるものである。緩和と適応は気候変動対策の二つの柱であるのだが、適応の方は、温暖化を認めてしまうという意味で今ひとつ話題性が低いようだ。緩和策というのは、人間が気候を変化させられるという、いわば尊大な考えに基づくもので、たしかに、気候変動の原因が人間の活動によるものならば、人間の力で気候変動を止めることができると思わせるのにも不思議はない。以前の公害問題がこのパターンだった。しかし、明らかに有害な物質を環境に放出したことで起きる被害を防ぐことと、今問題となっている気候変動とは、規模もしくみも全く異なる。仮に人間の活動が原因だったとしても、経済活動をやめないで気候変動を緩和することなど本当にできるのだろうかという疑問は残る。もしかすると、過去の気候を紹介したときに述べたように、そもそも農業が原因かもしれないのである。そうなると、温暖化を止めるのは不可能に近い。

適応策として考えられるのは、日本の気温が以前よりも高くなるとして、それでも快適に暮らしていけるようにすることである。日本より暖かい国はいくらでもあるので、そうした国の生活習慣をとり入れれば、それでよさそうにも思える。クールビズなどはまさしくそういうものだ。東南アジアの国であれば、スーツにネクタイなどは、首相ですら着ていない。部屋が暑いのであれば、資源が許すならクーラーを入れればよい。それは二酸化炭素排出削減とは矛盾するが、暮らすことはできる。もう少し別の問題としては、気温上昇により海面が上がるとか、海水温が高まりこれまでとれていた魚がとれなくなるというようなこともある。サンゴが死滅するというセンセーショナルなものもある。しかし、サンゴは人間よりもはるか昔から存在した動物である。何度も繰り返された氷期も克服してきているし、今よりもずっと温暖だった恐竜の時代も経験している。今現在の生息場所では生きていけないとしても、どこかでは生き延びるはずなので、サンゴが死滅することがそんなに深刻な問題になるのだろうかとも思う。少なくともサンゴという生物は絶対に絶滅しないだろう。問題は、特定の場所の環境が大きく変化したことが目に見えてわかるということである。マスコミ的には誰にでもわかる話題である。他方、サンマが捕れないというのは、われわれにとっても死活問題である。海水温が変化して、サンマの生息域がずれてしまったと言われる。似たようなことはすでにあって、戦前は北海道でいくらでもとれたニシンが、あるときから全くとれなくなった。それでニシン御殿は過去のものとなった。漁民は他のものを捕って生計をたてるしかないし、われわれも他のものを食べるようになるしかない。一方で、従来は南の海にしかいなかった魚が捕れるようになったとも聞く。従来は食べる習慣のなかった魚は、すぐに市場で売れるようにならないそうだが、こうしたことも時間とともに何とかなっていくのかもしれない。

政策立案の専門家が書いた本（肘岡『気候変動への「適応」』）を読むと、実に幅広い適応策がありうる。現実にそれぞれの地域の状況に合わせて、しっかりとした適応策の立案が必要だということが丁寧に説明されていることが印象的である。実際に気温がどれだけ上昇するのかというIPCCが提示したいくつかのシナリオ（RCP2.6, RCP4.5などと呼ばれる）に対して、生活保障や貧困緩和から、洪水対策、インフラ整備、金融などの経済制度、土地利用の法整備、教育・情報整備などまで、行政のあらゆる政策にまたがった膨大な対策が考えられている。二酸化炭素削減がどちらかというと単純な目標であるのに対して、適応策は、社会のあらゆることに関わってくる。社会全体として、気候変動にどのように対処していくのかという難しい課題が問われている。

温暖化と「台風激甚化」問題

海面上昇と並んで問題なのが激甚災害の増加という懸念である。台風が激甚化したとか、集中豪雨が増えたとか、そうした話題はニュースとしてしばしば入ってくる。しかし、こうした話には注意しなければならない。少なくとも気象庁が公表しているデータを見る限り、台風の強さは昔と変わっていない。たしかに一九八〇年代あたりは強い台風が比較的少なかったようだ。しかし、私の子供の頃、一九六〇年代には伊勢湾台風をはじめとする圧倒的に強い台風がいくつも来た。気象庁の記録では、終戦の年にも強烈な台風が来ているし、戦前にも中心気圧の低い台風はいくらも日本列島を襲っている。

テレビなどで台風の激甚化が何の疑問もなく語られるのは、今のテレビ出演者がだいたい五〇歳前後以下だからだろう。池上彰氏のように私より年配の人もいるが、どうもこれに関する発言は不正確なように思う。気象の記録を見ると、一九七〇年代、八〇年代にはたしかに強い台風は来なかった。それは、すでに知られているように、一九七〇年代は一時的な寒冷期が続いていたからかもしれない。図5と図6を見るとよくわかる。一九五〇年くらいから一九七〇年くらいまで、気温は少し下がり気味になっている。とはいうものの、それ以前にも強い台風はいくつもあったので、強い台風の襲来頻度は、簡単に理解できることではなさそうだ。誤解のないように言っておくと、ここで私が間違いだと指摘しているのは、台風が最近激甚化したという言説であり、一時的に強い台風が来ない時期があったために、人々が勘違いをしていると私は思っている。昔も今も台風は最大限警戒しなければならないことは変わっていないというのが私の考えである。

温暖化と集中豪雨の増加

最近、この四五年間のアメダスの記録では集中豪雨が倍増しているという気象庁の研究発表があった（加藤 二〇二二）。そもそもアメダスという全国的気象観測網をつくることになったのは、集中豪雨が頻発して大問題となっていたからである。一九六〇年代にも集中豪雨は何度も起きていて、大災害を起こしていたが、当時は観測網が貧弱で、局所的な豪雨の観測ができていなかった。そのため、全国に多数の自動観測装置を配置して、急な集中豪雨も観測できるようにすることになったのである。気象庁のホームページによれば、アメダス（Automated MEteorological Data Acquisition System：地域気象観測システム）が運用を始めたのは一九七四年一一月一日で、現在では、約17km間隔で約一三〇〇カ所の雨量観測点が全国にある。降水量以外のデータとして、風向・風速、気温、湿度を観測している所が約八四〇カ所、降雪量も観測している観測点が約三三〇カ所ある。先に挙げた論文（加藤 二〇二二）では、一九七六年から継続的にデータを取得している一一七八地点のデータについて、三時間積算降水量（P3H）が130mm以上の集中豪雨や、一時間積算降水量（P1H）が68mm以上の短時間大雨の頻度を集計している。それによれば、年間の集中豪雨事象や短時間大雨事象の頻度は約一〇年程度の周期で大きな増減を繰り返している。細かい変動があるが、極小値は1974, 1984, 1986, 1992, 1996, 2002, 2010, 2015, 2020年、極大値は1979, 1982, 1990, 1993, 1998, 2004, 2011, 2018年などに観測されている。極大値と極小値の差はかなり大きく、近接した年の比較でも、約三倍ある。二〇一一年以降に関しては年ごとの違いはもう少し小さい。全体的傾向としては、この45年間で、これらの豪雨事象の頻度は約二・一五倍に増加していると見積もられている。この論文では、降水量の閾値を変えた場合の結果も示されていて、P3Hが100mmから200mmで長期増加傾向には大差ないとされた。

ところが不思議なことに、月別で見ると、かなり違ってくる。長期的に顕著な増加傾向が見られたのは七月で、九月に関しては、ほぼ横ばいとなっている。ただし、約一〇年周期の増減はどの月でも見られ、少ない年と多い年の差は数倍にも及ぶ。また、八月における500m高度における水蒸気フラックス量150g m^{-2} s^{-1}以上の出現頻度の地域分布が調べられていて、北日本、四国、近畿では経年変化が減少傾向となる一方、西日本は増加傾向となっている。このことから、梅雨の時期や西日本での集中豪雨の増加傾向が読み取れるとまとめられている。

私自身は気象学が専門ではないものの、データの読み方の問題には気がつく。つまり、毎年の大きな変化に加えて、時期や地域ごとの違いも踏まえると、この四五年間で集中豪雨が増えたという大づかみな言い方は不適切であるように思う。そもそも、年ごとの大きな周期的変化の説明もなく、左端は谷に近いところ、右端は山に近いところを両端として、全体の変化傾向の直線を引けば、右上がりになるのは当たり前である。それでもこの四五年間だけの比較なら、降雨量の増加傾向が多少はあるように思える。では、この傾向がずっと続くのだろうか。加藤（二〇二二）にも書かれているように、気温の上昇に伴い、大気下層の水蒸気量が増加することが、結局は降雨量の増加につながる。ただ、それが集中豪雨のような極端事象の頻度の増加と結びつくのかは即断できないのだが、上のようなデータや、同じ論文で引用されているオランダでのデータ（Lenderink and van Meijgaard 2008）を見ると、温暖化が豪雨の頻度に関連しているようである。ただ、注意しなければならないのは、一九七〇年代は一時的な寒冷期であったことで、一九七〇年代と二〇一〇年代を両端とした比較では、全体的に雨量の増加傾向が見られても不思議はないが、この傾向がこの先続くかどうか、単純な外挿はできない。加藤（二〇二二）のデータでも二〇〇〇年から二〇二〇年はほぼ横ばいである一方、地球の温暖化はこの間にかなり進んでいるので、短期的な増減に関しては何とも言いがたいところだろう。そもそもどこの気温とどこの雨量を対応させるべきなのかも問題で、上記のオランダの解析例は現地の気温を使って、その場所の雨量との相関関係を出していた。日本に集中豪雨をもたらす水蒸気は南方の海上からやってくる（中村他『日本の気候』一九八六）ことを考えると、話はかなり複雑で、地球の平均気温は関係なくなり、直接関係するところの気温を考える必要がありそうである。さらに、毎年の変化の大きさを考えると、非常に長い長期的傾向と、毎年毎年の雨量の問題は切り離して考える必要がある。解析結果の一部だけを強調して、センセーショナルな宣伝をすることは適切ではない。

集中豪雨が近年多発するようになったと言われるが、それも間違いだと思う。間違いというよりも認識のバイアスだろう。局所的な豪雨に関する昔の記録はほとんどない。線状降水帯は新たに問題化しているようだが、昔は観測網に掛かっていなかっただけで、集中豪雨対策としてのアメダス観測網の整備の結果見えてきたのである。むしろ話は逆で、集中豪雨は昔からあり、そのため、アメダスができたのである。七〇年代の『集中豪雨——新しい災害と防災』でも指摘されているように、小さな集落が災害で全滅すると集中豪雨の記録すら残らない。また、昔から水害があった地域でも、農地が宅地化されて、新しく住民となった人たちは昔のことを知らない。過去にひどい水害に悩まされてきた大都市はしっかりと治水が行われて、今やほとんど水害がなくなってきた一方、地方の中小河川の問題がクローズアップされるようになった。こうしたさまざまな理由で、最近、集中豪雨の被害がひどくなっているように報道されているのではないだろうか。それぞれの地方で、昔の歴史をしっかりと調べることが大切である。

気候変動問題の根本的な問題は、信頼できる大規模観測ができるようになったのがこの五〇年くらいのことであり、その間のデータだけをみると、気温が上昇、二酸化炭素濃度が増加、大規模災害も増加、などなどとなる。地震のように、たしかにこの一〇年間くらい、地震活動が活発になっているらしい状況もあるが、地震の場合は、人間活動に原因があるとは思えないので、地球の気まぐれということになる。気候変動のどれだけが人間活動に原因があり、どれだけが地球の気まぐれ、あるいは太陽の気まぐれなのかということは、もう少ししっかり研究する必要があると思う。過去の気候の研究からも、今起きている程度の気候変動は、過去に何度も起きていたと考えられている。政策や経済活動において、すでに走り出してしまっているということとは別に、気候変動の本当の原因を突き止める地道な科学的研究が依然として重要である。

理念としての温暖化防止

国連が定めた全世界的な目標にSDGsというものがある。Sustainable Development Goalsの略である。この言葉が導入された当初は、なぜ複数形のsを日本語の略語として入れるのかという議論もあったそうだが、いまは誰も疑わない。しかし、持続的に発展できるということ自体、幻想のようにも思われる。たとえば、以前に私たちが翻訳した『脱成長のとき』では、年率2％の経済成長でも、あっという間に天文学的な成長比率になってしまい、地球の総資源では間に合わなくなるので、そもそも発展・成長という発想と持続的という考えは相容れないことが示されている。まわりの研究者ともよく話題にするのだが、一七個も目標を掲げて、それを二〇三〇年までに実現するという国際的な目標を打ち立てたというのは、一体どこまで本気なのだろうという気がする。子供がお正月に今年の目標を書き初めで書いても、だいたい実現しない。大リーグで活躍する大谷翔平選手は高校生の頃に書いていた目標をしっかり実現できたらしいが、これは特別な例だろう。もう少しまじめに説明すると、数学で最適化問題というのがある。経済学でも線形計画法などという問題がある。多数の要因・変数が関わる問題設定において、目的とする変数を最大化または最小化するという問題である。一般にこれは一個の目的変数を考え、多数の要因となる変数による偏微分係数をもとめ、それがすべてゼロになるような変数の組を求めることで解が得られる。その場合、目的変数を複数にすることはできない。何か一つの変数だけに注目して、それを最大または最小にするのである。多数の目標を設定してそのすべてを達成するということは、数学の問題、あるいは経済学の問題として、原理的にできない。せいぜいできることは、対象とする複数の目的変数を全部合計したものを新たに目的変数と設定することなのだが、その場合、新たな目的変数を最大化できても、そのとき、その目的変数を構成する個別の目的変数のすべてがよい値になるとは限らない。一つを犠牲にして別のものを最大化し、その結果として全体を最大化できているのかもしれない。

わかりやすい例を考えて見よう。日本では街角に自動販売機があるのが当たり前になっている。これは案外知られていないことだが、外国ではきわめて珍しいことなのである。外国では、屋外に自動販売機があれば、破壊されて、中の品物もお金もみんな取られてしまうのが普通のことである。外国では自動販売機は存在しても、屋内にしかないと思う。ところがこの日本独特の屋外の自動販売機は、真夏に冷たい飲み物を供給し、真冬に暖かい飲料を提供できる優れものであるが、考えて見ると、これはとんでもないエネルギーの無駄遣いをしているはずである。最近では冷凍食品の自動販売機もある。中には、夜中の安い電力を使っていると書かれた「エコ」な自動販売機もあるが、エネルギーを使うことには変わりない。屋内ならまだ消費電力は少ないと思うが、屋外では、大きなエネルギー消費を伴う。しかし、自動販売機をやめろというと、まず、利便性の点でも、また、経済性の点でも、異論が出るだろう。自動販売機は必要なときにすぐにものが買えるという意味で非常に便利で、経済にとっては大きなプラスであろう。しかし、エネルギー消費のことを考えれば、やめた方がよい。少なくとも常温で販売するのならまだしも、いまのような形態はＳＤＧ７・13的にはよくない。一方で、経済発展ＳＤＧ８的にはプラスなのである。このように、一つの事柄がプラスに働く項目とマイナスに働く項目があるという点で、SDGsは矛盾に満ちている。そもそもＳＤＧ１は貧困の解消、ＳＤＧ２は飢餓の撲滅である。ＳＤＧ３はすべての人の健康と福祉、ＳＤＧ６は安全な水とトイレなのである。いまの日本では当たり前になっていることが当たり前でない国や地域がたくさんあり、それを何とか救済しようというのが、国連の本来の目的なのである。エコを口実に新しい産業で儲けようというのいまの世の中の考え方は、根本的にずれているように思う。

貧困など、世界の構造的な問題は、たしかに国際協力があって解決するのかもしれないが、そもそもアジア・アフリカ諸国の問題は、イギリスやフランスなどが過去に植民地支配をしたからで、現地の文明を根こそぎ破壊してしまったことに原因があるのではないだろうか。日本と韓国の関係では、今や大国となった韓国がしっかりと日本を批判できるようになっているわけだが、アジア・アフリカ諸国の多くは、旧宗主国に依然として依存していて、とても反旗を翻すことができる状況にはない。一方で、旧宗主国の人々の考えとしても、自分たちはよいことをしたのだという信じられない話を真顔で語る。つまり、文明のなかった未開人に対して、文明を施してやったというのだ。植民地支配をしておいて、よくもそんなことが言えたものだと言っても、彼らの信念は揺るがない。SDGsなどというのも、こういうものの反映なのだろう。過去の植民地支配で破壊し尽くした現地の文明に代わって先進国の文明を押しつけ、その延長線上で、先進国のモラルとしてSDGsを実施し、それには現地の人々も一緒に協力するということになる。あくまでも責任を認めない態度だ。気候温暖化問題でも同じである。もしも二酸化炭素排出だけが気候温暖化の原因だとして、その原因は先進国なのは明らかだが、先進国の二酸化炭素を減らすのは無理なので、それ以外の国にも同じ目標をもたせた上で、先進国が協力するという態度である。COP会議が何度開かれても、この状況は変わらなかったが、ついに二〇二二年のCOP27では、現在起きている開発途上国での温暖化被害について、先進国が補償する方向性が打ち出された。単に先進国が生活水準を落としたらよいという提案を開発途上国は出さないのか。それはどの国も発展したいからである。中国もインドも、自国の発展を考えたとき、先進国に強いブレーキをかけられない。しかし、本当にこれらの国がアメリカなみの生活水準になると、世界の資源が全く足りなくなることも明らかである。『脱成長のとき』でも示されているように、たぶん地球五個分くらいの面積が必要になる。だからといって火星を開発するというのは、かなり空想的な話だろう。

先進国の責任問題

COP27での被害補償の決定はなぜ重要なのかというと、温暖化の原因が化石燃料の消費であるとして、その大部分は先進国がこれまでに消費した化石燃料がもたらしたものとなる。しかし、これまでの議論は、いまの温暖化はあくまでも将来のひどい温暖化の前兆であって、いま行動してCO_2を減らせば、将来の温暖化やそれによる被害は未然に防止できるという仮想的な話だった。つまり、今は北極の氷が融けたりしていても、温暖化の直接的な被害はないという話だった。だから、想像力を働かせ、科学を活用すれば、将来の災害を未然に防ぐことができるという、ある意味美しい話なのである。ところが、近年、いくつかの島嶼国の水没が現実化し、パキスタンの大水害などが起き、それが、気候温暖化の結果であると多くの人が認める状況になると、すでに被害は起きているということになる。その原因が先進国の過去の化石燃料消費であるとすれば、先進国に賠償責任が発生するのは明らかである。すでに述べたように、二〇〇〇年頃はまだ、化石燃料消費と気候温暖化の関係が曖昧だった。気候の温暖化自体もどこまで本当かわからなかった。ところが、具体的な科学的証拠が増えているとは言えないにもかかわらず、いつの間にか、化石燃料消費が温暖化ガスを増やし、それが気候温暖化をもたらすという単純化されたストーリーが確立してしまった。その背景には、温暖化をビジネスにしようとする働きがあり、排出権取引を新たな金融商品とする考え方が生まれ、また、脱炭素を新たな技術革新の目玉にするという経済界の動きがあった。そのためには、化石燃料消費と温暖化が直結しているという単純化された考えで世界中を洗脳することが行われた。ところが、これは両刃の剣であった。つまり、いま、実際に開発途上国に温暖化が原因となる被害が生じているとなると、先進国が賠償責任を問われることになる。これは、上に述べた、植民地支配の補償とダブってくる。COP会議に参加する開発途上国は、脱炭素などどうでもよく、経済的な支援がほしいのである。それをわかっていた先進国は、これまでずっと、補償は拒否してきたのだが、現実の被害が多発するにいたって、部分的にせよ、補償を約束せざるを得なくなったわけである。

するとこれからどんなことが起きるのだろうか。気候の温暖化は、どうやら、少なくともいままでのところ、現実のものになっている。異常気象と言われる現象のどこまでが温暖化と関連するか、本当はわからないが、いつの間にかなし崩し的に温暖化＝異常気象という図式が成立している。私の考えは、すでに述べてきたように、化石燃料消費だけが気候温暖化の原因であるかはわからないという点と、異常気象が果たしてどこまで異常なことで、それが温暖化の結果であるのかもわからないという点である（図11）。温暖化が産業革命以降顕著で、この三〇年間特に急激だというのは、見方を変えれば、世界人口と比例していることになる。実は世界の人口の増加、つまりは農業生産の増加が温暖化ガス増加の要因であることは否定できない。農業はカーボンニュートラルのように思われているかもしれないが、決してそんなことはない。大量のエネルギーを投入して集約農業が行われている。農地開発のために森林伐採が進められたことも論点である。太陽光発電システムの設置のためにも森林が大量に消失している。水田で発生するメタンや肥料に由来する窒素酸化物も温暖化の要因となる。あらゆる可能性を考える必要はすでに指摘したところである。

いまは、こうした疑いは偏屈者の勝手な思い込みのように思われているが、以前は普通の考え方であったわけだし、農業の問題などはむしろ新たにわかってきたことでもある。ともかく世の中の方がいつの間にか変わってしまったのだが、その原因は温暖化ビジネスである。しかし、いまや温暖化被害を先進国が補償せよという流れになると、当然、先進国は責任を認めたくないので、いまの論理を崩すことになるだろう。つまり、私が主張するような疑いが再び浮上することになる。私は政治的な意図をもって疑いを発しているわけではなく、ただ単に科学的な疑いを述べているのだが、それが今度は、先進国の賠償責任を回避する口実として利用される方向になるかもしれない。つまり、温暖化の原因は先進国の化石燃料消費だけが原因ではない、世界各地で起きている大災害は必ずしも気候温

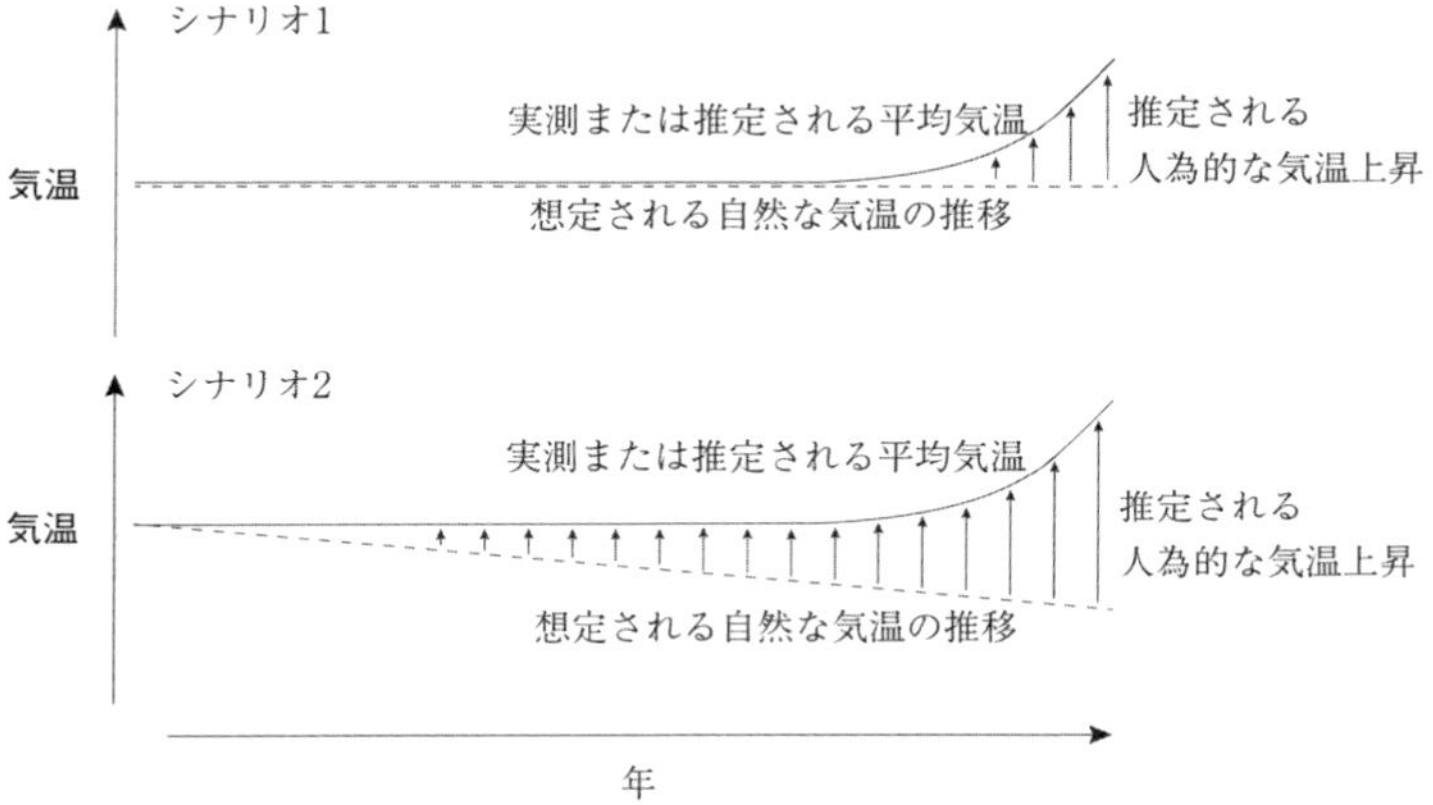

図 11　観測される気温上昇と人為的な温度上昇の推定における曖昧さ

従来の一般的な考え方（シナリオ１）では、産業革命以前の気温は一定で推移してきたが、産業革命以後、急に上昇したとする。それは自然状態では気温は変化しないという前提に立っている。しかし、ミランコヴィッチ理論で予測されるのは、気温が徐々に低下していくということで、もしもそれが正しければ、過去数千年にわたって気温がほぼ一定かやや上昇してきたのは、すでに人為的な影響のためだと考えられる（シナリオ２)。二つのシナリオでは、同じ気温変化を説明するのに、異なる説明が必要になる。シナリオ１では産業革命以後に新たに加わった要因が原因となり、それは化石燃料の消費などとなる。ところが、シナリオ２では、すでに産業革命以前から気温上昇は始まっていて、その原因はおそらく農業ということになる。近年の急激な気温上昇は人口の急増を反映したものとなる。結局のところ、もっと詳しい研究が進まなければ本当の原因はわからない。シミュレーションはおそらく適当な変数を使えば何とかできるはずだが、それが原因の説明になるとは限らない。化石燃料の消費を減らせばたしかに二酸化炭素は減るだろうし、気温上昇を抑制する役にもたつだろうが、農業の影響が仮にあったとして、それを帳消しにするほどのことはできないと思われる。もっと別の対策（緩和策、適応策）を考える必要がある。

暖化だけが原因ではない、となる。私はこれは科学的にまともな考えだと思うが、しかし、それを政治利用するとなると、状況は変わってくる。農業が原因となると、開発途上国自信にも原因があるような話になる。しかし、世界史を大づかみに考えれば、先進国が開発途上国を支援するのは当然であろう。誰も好んで開発途上国になっているわけではないからである。これから、どんな展開になるか、みんなで注視していきたい。

終　章　コロナ禍の教訓から気候変動問題の見直しへ

最後に全体をまとめて、科学と技術、社会、政策などの関係を考えてみたい。

コロナ禍と気候変動問題におけるアブダクションの失敗

科学におけるアブダクションの使い方では、ある結果を説明するために、その原因となりうるさまざまな事象を考え、もっともらしい仮説を見つけることであるが、普通の科学的研究では、その仮説が正しい場合に起こりうる他の結果を考え、それらが実際に起きているかを調べることにより、仮説の正しさを検証するという営みが繰り返される。ところが、実際に人間社会で起きる事象の現状分析では、原因を突き止めることは簡単ではない。コロナ禍の場合、新型コロナウイルス感染症ＣＯＶＩＤ-19という病気を引き起こす原因が、SARS-CoV-2というウイルスであることは突き止められた。その部分は科学の知識に組み込まれたことになる。ところが、そのウイルスがどのようにしてヒトからヒトへ感染していくのかについては、はじめは空気感染や接触感染も疑われたものの、しばらくして飛沫感染ということがほぼ確定した。では、実際にどのようにしてヒトからヒトへと飛沫によってウイルスが感染していくのかということは、誰もその現場を見たことがないので、結局わからない。

ともかくヒトからヒトへと感染するのだから、他人が接触しなければよいという単純な論理で、人流抑制という政策が実行された。その考え方はずっと残っていたようである。ところが、二〇二一年秋には、人流が増えているにもかかわらず、新規感染者数はどんどん減っていった。二〇二三年春も同じで、みんなが普通の生活に戻ったものの、新規感染者数は大きく減少したままである。そのため、人流の数が問題なのではなく、人々が出会う場面が問題だということになった。屋外ならマスクは外してもよいということも言われた。しかし、結局のところ、保育園のように、普通にべたべたくっつき合って接触していれば、感染が広まることは想像がつくものの、マスクもしている大人について、具体的にどんな状況で感染が起きているのかは、簡単にはわからないままである。病原体がわかっても、感染防止策という技術的な問題に関しては、いくつもの仮説があるものの、結局わからないうちに感染が収束しつつあるということになる。技術は目の前にある問題を解決することが目的であるので、理由がわからなくても感染が収まってしまえば、課題はなくなってしまい、結局、さまざまな仮説の検証もそこで終わりになってしまう。

アブダクションがうまくいかないことは気候変動問題でも同じである。以前からの地球科学の研究により、大気中の二酸化炭素濃度が高くなれば、温室効果が高まり、地表付近の大気の温度が高くなることは、科学的な理論として明確にわかっていて、実際、過去の地球における全球凍結や氷期が終わる場面では、火山ガスによる温室効果が有効に働いていたこともわかっている。これは過去のことなので、検証は難しいが、ほぼ確実なことと見なされている。そのため、現在起きている地球の気温上昇に対しても、同時に観測されている二酸化炭素濃度の増加が原因であると考えることは、たしかにもっともなアブダクションである。この五〇年間くらいの気温上昇速度がそれ以前に比べて著しく大きいと指摘されるようになり、人為的な二酸化炭素放出がその原因であるという仮説がますますもっともらしくなってきた。ところが、過去のことはなかなかわからない。こうした説が提唱されたはじめの頃には、過去の気温はずっと平坦なもので、近年急に上昇したと言われたが、それは間違いで、文明化した時代だけでも、おそらく今よりも温暖な時期も寒冷な時期もあったことが、年輪の分析などで明らかになってきた。昔の気候を推定して二〇〇年というかなり大きな枠で平均化して変動を求めた新しい研究によれば、約六〇〇〇年前は産業化以前に比べて地球の平均気温が０・７℃程度高かったらしい。それでも、気温の変化速度という観点で言うと、やはり近年の上昇は著しいと考えられた。ところが、湖の底に堆積した物質の数万年にわたる詳しい解析がなされると、過去にも気温が不規則に上昇したことがあり、しかもその上昇速度は今の速度よりも速かったかもしれないということがわかってきた。もちろん、特定の湖の周辺の環境のことだけの話なので、地球全体の平均気温がどうであるかという議論とは完全にはかみ合わないが、氷床の解析でも同様の結果が得られていることから、世界規模での急激な気候変動があったことはもっともらしい。人類が生活していた過去の時代にも、原因がはっきりわからない急激な気温上昇が何度か起きていたということは、現在の気温上昇も「地球の気まぐれ」による可能性を否定できない。大型のシダが生え、恐竜が生きていた時代は、今よりもずっと温暖であったらしい。少なくとも、いまのまま気温が上昇したら地球は破滅するという予測は信用するに値しないようだ。もちろん人間は恐竜とは違う。高度な文明をもっている一方で、身体はそんなに頑丈ではない、などと心理的な反発を感じる人も多いだろう。現在の気候変動に関する議論にはさまざまなものが混在していて、激甚災害が多発して地球がめちゃくちゃになると言う人までいる。過去の地球は今よりもずっと暖かいことが何度もあったし、寒いこともあった。専門家の意見では、気温が低い方は無制限に（といっても物理法則の範囲でだが）低くなったようだが、高い方はある程度の限度があったらしい。未来予測はさまざまで、信頼に足るものを見つけるのはかなり難しいことは、コロナ禍のシミュレーションでも同じだったことを思い出してほしい。

改めて、コロナ禍と気候変動に関して、科学、技術、政策などの面から比較してみたい（表4）。コロナ禍であれば感染者の急増、気候変動であれば平均気温の急上昇という事象が観察結果として与えられ、それに対して、科学的にはアブダクションによる現状分析が与えられた。しかし、アブダクションにはさまざまな仮説の可能性があり、一つの仮説だけが真理であるとは限らない。純粋に科学の問題であれば、さまざまな実験や観察をして、どの仮説が正しいのかを突き止めるのだが、現実の問題の場合、容易ではない。コロナ禍の場合、目の前で繰り広げられる新たな事態の進展が速く、科学的な解析が間に合わなかった。気候変動の場合、地球規模で起きる現象に対して、とり得る解析手段が限られていて、しかも参考となる過去の事象についても、詳しく調べることは技術的にかなり限定されていた。一方で、どちらの場合も、コンピュータシミュレーションが多用されてきたが、これは適当な微分方程式を立てれば、どんな計算結果も出せるもので、事実と照合して検証することが大切なのだが、それが必ずしも容易ではなかった。シミュレーションはコロナ禍では使われなくなったものの、気候変動では健在である。ともかくも、政策としてはさまざまなものが実施され、それぞれにもっともな根拠も考えられた。しかし、コロナ禍も気候変動も、原因を抑える対策をとることは、

表4　コロナ禍と気候変動問題における現状分析と対応策の比較

	コロナ禍	気候変動問題
事　象	新規感染者の急増	地球の平均気温の（急）上昇
アブダクションによる原因仮説	• 人流の増加 • 新たな変異株の出現	化石燃料使用による二酸化炭素放出
別の説明の可能性	• 感染効率の増加 • 把握できない感染者の増加	• 地球規模での不規則な変化 • 宇宙線の変化 • 農耕による土壌の変化
大局的に見た過去の類例の顚末	ワクチンがなかった時代でも、感染症は数年経つと収まった	過去にも同様の気温上昇は何度もあったが、生物は生き延びた
シミュレーションの信用度	感染者数のシミュレーションは使われなくなった	スーパーコンピュータによる気候予測は依然として高い信用を得ている
主要な対策	• 感染者隔離 • 人流抑制 • マスク着用・手洗いの励行 • ワクチン接種 • テレワーク	• 化石燃料の使用抑制 • 温暖化ガスの排出抑制 • 都市・砂漠の緑化 • 脱炭素ビジネスの普及
対策の目的・根拠	•（当初）国民の命を守る • 高齢者などの重症化リスクの高い人々の命を守る	• 海面上昇による浸水被害を防ぐ • 豪雨災害を防ぐ • 高温による健康被害を防ぐ
対策のデメリット	• 経済活動が停滞する • 失業者が増える • 倒産する企業が増える • 教育の質が低下する	• 燃料価格の上昇 • 原子力普及によるリスク • 経済活動への規制強化（ビジネスチャンスでもある）
対策の有効性	• 人流抑制は効果がなく、他の感染防止策もどの程度有効なのかはわからない • ワクチン接種は感染拡大防止に有効と見られる • さまざまな抑制策を行って	• 化石燃料に由来する二酸化炭素放出を実際に減らすのはきわめて難しい • 二酸化炭素以外の温暖化ガスも抑制は難しい • 豪雨災害への対策はまだ遅

	いる国の方が、コロナ禍がいつまでも続いているように見える	れている • 脱炭素が新たなビジネスとなっているが、環境汚染問題と混同されている
対策が生み出した新たなビジネス機会	• テレワーク • オンライン会議システム • ワクチン産業	• 温暖化ビジネス • 排出権取引 • 電気自動車の普及

経済活動などにマイナスの効果があるという問題もある。しかも対策が本当に有効なのかも疑問である。それでも、対策そのものが新たなビジネスになるという方向性も生み出された。

科学と技術、政策の問題における二つの事象の相違点

本書で扱ってきた二つの問題、コロナ禍と気候変動に関しては、共通する面と大きく異なる面がある。前項では共通する面を主に述べたが、相違点もある。一つは、時間スケールである。コロナ禍は、未知のウイルスが人類集団に侵入し、時々刻々と変化する感染状況の中で、その場その場の対策を求められた。原因を調べる研究が追いつかないうちに、過去の感染症で得られた教訓を参考にして、打てる対策が次々と打ち出された。この段階ではほとんど手探り状態で、思いつく仮説が、真偽の検討もないままに、対策につぎ込まれた。やがてウイルスの本体がわかり、感染症の病態も解明されてくると、科学的知識も蓄積され、それを使った技術開発として、たとえばワクチン接種もできるようになり、次第に、根拠のある対策が打ち出せるようになった。その間わずか二、三年という短い期間であった。これに対して、気候変動の場合、観測される事象が数百年規模のスケールで、しかも地球全体での平均値という抽象的な値の推移を実証することから始まった。日々の生

活の中では気づかないきわめてゆっくりとした変化だからである。さらにその原因となる仮説は科学的には未だに確定的とは言えないが、その一つの要因とみなされる二酸化炭素濃度そのものは着実に増加している。今対策を打たなくても今の人々の生活には大きな影響はないものの、一〇〇年後の人類の生活には大きな影響があるかもしれないという、大きな時間スケールの問題である。時間はあるようでない。大きな時間スケールの問題は検証にも時間がかかるためである。

もう一つは、一方が生物に関わる問題で、他方が物理現象だということである。一般に、物理学は因果関係が明瞭で、決定論的に考えることができるという点で、何が原因で、どういう対策をとればよいかもすぐにわかりそうなものである。ところが、現実には、地球という大きな規模の物理現象は、創発的な現象も含まれていて、簡単な決定論では律することができない。それに対して、感染症は、病原体がわかっている以上、その感染を防ぐだけで、すべては解決しそうなものである。しかし、ウイルスが人体に感染し、病気を起こすのは複雑な生物現象で、さまざまな遺伝子やタンパク質が関与し、こちらもまた物理の複雑系に劣らず複雑な問題であり、簡単には治療につながらない。どちらも複雑だという共通点はあるものの、中身が全く異なるのは当然である。

さらに対策をとる政策決定のしくみにも違いがある。コロナ禍は、それぞれの国ごとに、その国の事情に応じて対策がとられた。人流抑制をした国が多いが、しなかった国もある。一般的な対策はあるものの、それぞれの政府のやり方が異なっていた。今になると、マスクをする国としない国もわかれた。経済力により、ワクチン接種を大々的にできた国とできない国がある。死者の数も国ごとにまちまちである。二〇二三年五月（新型コロナ感染症が、感染症法上で二類相当から五類に移行した）時点での尾見茂分科会長の説明では、総感染者数はイギリスでは八割を超えているが、日本では四割にとどまったそうである。一見、よかったようにも思えるが、結局はこれが、日本での感染リスクが将来も残存しつづける要因になってしまったという面もある。これに対して、気候変動では、地球規模の問題ということで、COPなど国際的なしくみによって、対策が協議され、実施されている。これに伴う対策も大規模な経済対策が多いため、国の枠を越えた対策が多い。本当の対策になるかどうかは別として、電気自動車の普及などもその一つであろう。

科学を絶対視した政策の失敗

最後にこれら二つの事象に関して、特に注目される政策の失敗を挙げておきたい。それは強迫観念による行動要請や予防的行動となし崩しの行動原理である。どちらも状況がよくわからない中で緊急的に発動される政策であるが、それでも、何らかの科学的とされる根拠のもとに発動される。強迫観念はコロナ禍の初期にはきわめて顕著で、これから何が起きるかわからない、多くの人が死ぬかもしれない、自分も感染するかも知れない、死ぬかも知れない、などなど、実に切迫したものがあった。こうした強迫観念があると、政府の強い政策も容易に受け入れられる。落ち着いて考えれば、そこまでやるのはほとんど根拠がないか大きな副作用があるかもしれなかったのだが、二〇二〇年三月の全面的な人流抑制はその例である。街がすっかり静まりかえってしまった。強迫観念は人々だけでなく、政策を打ち出す政府の側にもあった。国民全体の異常な心理の中で、このような強い政策が実行された。それにより、なし崩しにすべての抑制策が可とされた。そのために閉店を余儀なくされたり、職を失ったりした人は多かったが、すべて大きな波に押し流された感がある。

気候変動に関しては、これほどはっきりとした強迫観念はないかもしれないが、それでも、台風や豪雨災害のたびに、これからどんどん危険な災害が増えていくと感じている人は多く、それが二酸化炭素削減政策を支持している。もっとも、日々の生活態度を変えている人はごく一握りだろう。そこまで切迫していないともいえる。しかし、気候変動の脅威を強く感じている人はかなり多いはずである。何でもかんでもSDGsというお墨付きをつけて宣伝され、それがよいこととして受け入れられるのはその表れだろう。なし崩しというのはこちらにも当てはまり、何でも気候変動対策なら許されてしまう。本来なら、一つひとつの事柄について、その当否を判断してしかるべきものだが、すべてSDGsで押し切られてしまっている。

科学の役割は、あくまでも、目の前で起きていることに対して冷静に調べることなのだが、社会が求める科学の役割は違う。ドラえもんの秘密道具よろしく、その場その場で、たちどころに解決策を提示することが、科学には期待されてしまう。それは、何度も述べたように、本来は技術の役割であり、技術に必要な範囲で、新たな科学知識の獲得も求められる。技術も一朝一夕に解決策が出せるわけではなく、多くの試行錯誤を経て、ようやく使える対策が提供できる。新型コロナのmRNAワクチン開発などはたまたまうまくいったというべきであろう。多くの場合、科学に期待しても期待通りの答えが返ってこないため、結局は科学を置いてきぼりにして政策は進んでいく。一発で答えを出してほしいと期待される科学は、本当は大変な時間がかかる。技術もそうだが、技術に時間がかかる方が理解されやすいようだ。こつこつとものをつくるイメージがあるからだろうか。

コロナ禍はひとまず終息に近づいているようだが、科学や技術の役割について、後からでも振り返ってほしいものである。そして、気候変動に対して、技術がどんな有効な対策を提供できるのか、科学は何を明らかにできるのか、考えていってほしい。それはまだこれからの課題である。コロナ禍をきっかけとして科学や技術が社会において果たす役割について考える機会ができたものの、そうした反省を他の問題、特に気候変動にどのように向けていくのがよいのか、まだまだ考えるべき点は多い。

社会における科学のあり方

最後に社会における科学のあり方を考えてみたい。私が学生のころに、自由研究ゼミナールという ような名称で、学生が提案する教養課程でのゼミの制度があり、その当時の公害問題と化学教育の関係を議論する目的で「社会における科学」というゼミを立ち上げた。本書はその頃からの問題意識を五〇年経って、新しい問題をテーマに議論してきたことになる。この名称は、有名なJ・D・バナールの『歴史における科学』を少し変えたものであった。当時、私は科学史の本をいろいろ読んでいて、もと生化学者という経歴をもつこの著者の幅広い見識に圧倒されたものである。その当時の問題としては、今でいう環境問題を当時は公害問題と呼んだが、科学は公害に加担してきたのではないかという疑いがもたれた。少なくとも、科学技術の結果として、水俣湾の有機水銀汚染が起き、PCBによるカネミ油症事件が起きたように見えた。都市の大気汚染の原因も、多くの化学工場や自動車の排気ガスが原因で、それも科学技術のせいと見なされた。たしかに科学の発展がこうしたものを生み出す根源にあったとは言えるだろうが、一方で、公害の原因を解明する過程でも、科学は役立った。無機水銀から微生物の作用で有機水銀ができることが証明され、また、自動車のエンジンの中で空気中の窒素から窒素酸化物ができることがわかり、さらに、多くの工場の排気に含まれる硫黄酸化物や窒素酸化物の触媒による除去方法が開発されたのも、科学知識の応用だった。公害を生み出すのも解決するのも科学（技術）だった。その根底には、常に疑い続ける科学の活動があった。当時、科学と技術を分けて考えるべきだという議論はあったが、今私が示したような形で明確に区別できるものではなかった。どうしても科学と技術は渾然一体となっていた。それは原子力の平和利用でも同じで、科学が悪者にされる一方で、安全性を確保するのも被爆の詳しい調査から得られた科学知識だった。

科学は、明治以来、科学技術という名の下に国家の富国強兵策の柱ともなってきたものの、本来の科学はサイエンスの名の通り、合理的な知識であっても、ものづくりや政策にそのまま反映できるような性質のものではない。それでも、今回のコロナ禍や気候変動問題では、具体的な行動を正当化する中心的な論理として「科学的な」説明が利用され、科学に基づけば政策や行動が導き出されるかのイメージが共有されてきた。しかし、コロナ禍に関しては、めまぐるしく変化する状況の末に、人々は「科学」との一定の距離感を学んだように思われる．行動規範を与える論理としての「科学」の化けの皮を剥がすところまでは、人々は進んだと思うが、それでは、科学を疑うだけで済むのかということは残る。科学自体が疑う活動、それでも創造的な活動であるとすれば、人々は科学の疑う活動をサポートする方向に協力することが望まれる。それはコロナ禍に関しては比較的理解されやすいが、気候変動問題ではどうだろう。頭ごなしに決められた行動規範が万能となっているように思われる。

疑う活動はどこに行ったのだろう。疑うことは悪ではない．常に疑う活動が必要なのである。社会の中で、科学の居場所はどこか。直ちに行動規範となるようなものではなく、一歩引き下がって、裏方として、さまざまな知識や仮説を疑い、更新し続ける作業を淡々と続けていくべきものである。具体的な対策は技術の分野であり、それを実際に活用するのは政策の役割である。科学がこうした面で出しゃばってはいけない。逆に、現実の政策として出てくる温暖化対策などは、科学理論が直接の裏付けではないと考えるべきである。具体的に何をするかは、技術的に可能な方策の中から政策が決めるべきことである。人々が科学に対して抱く不信感、あるいは信頼感は、どちらも的外れなものであることが多いのではないか。科学の本来の活動を理解することは一般の人々には難しいかも知れない。あるいは、科学者自身もわかっていないのかもしれない。それでも、科学には、技術や政策とは距離を置きつつ、進むべき道があると思う。

コロナ禍・気候変動問題における平和の重要性

最後に、さらに考えておかなければならないことに思い至った。それは平和の重要性である。当然のことながら、ウクライナ問題との関連である。奇妙なことに、ウクライナでは新型コロナ感染症も地球温暖化も話題にはならない。それは、戦争の方が重要度が高いということである。ウクライナでもロシアでもマスクをしている人はいないし、ワクチン接種もどうなっているのかよくわからない。これらの国で感染者がどれだけいるのかも、戦争開始後、一切言われなくなった。また、大量の弾薬を消費する戦争では、大量に二酸化炭素が放出され、窒素酸化物や硫黄酸化物など、環境汚染物質や温暖化ガスも莫大な量が日々生じている。しかし、こうしたことは話題にならない。それよりも、人命や領土の方が大切だからである。つまり、地球温暖化問題というのは、世界が平和になって、みんなが平和で豊かな生活を享受できることが保証された先にある、いわば贅沢な悩みということになるのだろうか。しかし、長期的に見れば、この戦争で放出された環境汚染物質や温暖化ガスが地球環境を悪化させるのは確実であり、それは全世界にとって、大きな問題となるはずである。一〇〇年後に気温が何度上昇するかという計算も大きく変わってくるだろう。だからといって、直ちに戦争をやめて、今のままの境界線を承認して、平穏な暮らしを取り戻そうという意見は出てこない。それは、人間が暮らす上での最も重要な自己同一性（アイデンティティ）の確立の問題となるからである。どれだけ貧しくても、困難な状況にあっても、自分の国の国民であるという自尊心があってこそ、あらゆる困難を乗り越えて生きていけるということになる。少なくともそういう前提でものごとが考えられている。

国連というしくみが、第二次世界大戦の戦勝国による安全保障のしくみであることは、若い人たちにはあまり理解されていないかもしれないが、先の大戦の結果、勝者が善人で、敗者が悪者とされた。ところが、悪者だった国の方が、政治や経済の改革を行うことに加え、軍事費にお金を使わなくてよくなったことによって、結果的に、高い経済成長を遂げることができた。逆に、善人とされた常任理事国が世界平和に責任をもつことになり、冷戦というさらに奇妙な枠組みも加わり、大きな支出を余儀なくされた。しかし、二〇〇〇年以降は、そうした古い安全保障体制が機能しなくなってきた。それでも世界各地では国際紛争が多発することが続いていたものの、世界は全体として平和を維持しているように思われていた。その場合、平和な世界が続くとして、人類にとっての脅威は、環境破壊や気候変動という世界共通の問題になると見なされた。環境破壊が人災であることは明らかだが、気候変動も人災であるという烙印が押されたことにより、それらを解決するための国際的な協力が呼びかけられた。しかし、二〇二二年春以降、こうしたことはすべて変わってしまったように思われる。結局のところ、平和が一番重要で、それ以外のことは、二の次のようである。そうなると、科学と技術が社会の中で果たす役割や、政策のかじとりも大きく変わってくる。図4で示したような、科学と技術と政策の三つどもえの枠組みはどうなるのだろうか。

一つ考えられることは、何でもシミュレーションで考える時代であるので、国際関係や戦争もシミュレーションで判断できるのではないかということがある。私もこうしたことに詳しいわけではないし、そもそも軍事機密は公にならないので、はっきりしたことはわからないが、どこの国も、自国の装備をもとに、どの国がどういう攻撃を仕掛けてきたときには、どのような反撃をするかというシミュレーションをしているに違いない。防衛省に防衛研究所などという研究組織があることは今回の戦争で始めて知ったが、そうした研究では、どういう装備をどこに配置するかという戦略・戦術をさまざまに研究しているはずである。そもそも、戦争のコンピュータゲームがいくらでもあるくらいなので、実戦の研究も同様にできるはずである。では、そうした研究の結果、具体的にどうすればよいかということがわかるかというと、簡単ではない。結局、国際的な状況次第だからである。やはり外交の力は大きいし、経済関係も大きなしばりになる。物理学の複雑系の計算と同様、さまざまな要因が絡み合い、ちょっとしたゆらぎによって、全体の動態が大きく変化しうるので、今、世界大戦が起きたらというシミュレーションで確実な答えが出るようには思えない。先手必勝の確実なシナリオがすんなり描けることはないだろう。やはり、どこまで外交や経済関係による互いの束縛関係を密にするかということが大きな前提条件となるのだろう。それでも、核兵器を使用する危険が取りざたされる今、互いに核兵器を使いあう全面核戦争をどのように避けるのかは大きな課題である。今までは、仮に全面核戦争になれば、どの国にも甚大な被害が及ぶので、結局は誰にとっても損だという考えで、抑止力が働いていたことになっている。それでも、先に使ったもの勝ちという可能性も十分にあるし、逆に、おそるおそる使った先手が大反撃を受けて敗北するという可能性もある。これもシミュレーションが盛んに行われているに違いない。

しかし、何度も述べたように、シミュレーションはだいたいうまくいかない。というか、正しいかどうか誰もわからない。新型コロナ感染症ではそのことが如実に表れた。感染者数のシミュレーションは全く信用できるものではなかったからである。マスクの効果に関する飛沫飛散のシミュレーションも、結局、役に立ったのかイメージ操作だったのか、よくわからない。気候変動のシミュレーションがどこまで正しいのかも当然未知数であるし、仮に気温がかなり上がったとしても、人類は無事に暮らしていけるのかも知れないし、絶滅の危機に瀕するのかも知れない。何もわからない。

こうして、世界の状況が今後どうなるかわからない中で、感染症や気候変動にどのように立ち向かうのか。科学にはおそらく新たに付け加えられる知識は何もないが、起こりうる変化に対して、こういうことが起きる可能性があるという基本情報を提供できるだろう。また、それを検証する研究活動も続けられるだろう。技術的にできることもいろいろあるだろう。また、それを活用する政策が大切なはずである。しかし、政策は人が決めることである。シミュレーションも使えるかもしれないが、結局は誰かが決める必要がある。最後は、人である。幅広い知識と見識をもつ人材が多くいて、それによってものを決めていくことができるかどうかであろう。残念ながら、世界各国の強権的な指導者は、必ずしもよい教育を受けているようではなく、幅広い見識があるようにも思えない。日本は江戸時代の昔から庶民にもしっかりとした基礎教育が根付いてきた。国民全体の知的レベルはおそらく世界一高いのではないだろうか。しかし、それも経済格差の拡大によって危うくなりはじめている。現在私たちにできることは、まずもって、教育の充実ということにつきるのではないだろうか。それが、私が描く科学と技術と政策の三角形をうまく機能させていくことにつながるものと信じている。

補論　新時代のＡＩがもたらす社会的影響

この原稿をまとめている時期は、ちょうどＡＩ（人工知能）の応用が社会的に目立ってきた時期でもある。本書ではこれまでＡＩのことにまったく触れてきていないが、前著『科学哲学へのいざない』ではニューラルネットワークなどについて解説し、それが科学というよりも技術であることを述べた。ChatGPTをはじめとする生成型ＡＩが世間の話題となったことをうけて、あえて補論を設けて、ＡＩの問題について議論することとしたい。

生成型ＡＩとは

ここで主に議論したいのは生成型と呼ばれるＡＩである。これは対話型のＡＩであり、こちらから問いかけた質問に、もっともらしい答えを返してくれる。同様のものは接客ロボットなどとしても存在したが、今回のものはそれをはるかに凌駕し、官僚の答弁や大学の講義のレポート、あるいは小説も書けるそうだ。生成するのは文章だけではなく、デザインや画像、音楽に加えて、コンピュータプログラムなども作ってくれる。この場合、ＡＩは明らかに技術であって、本来は、新規の知識や価値を生み出すものとはいえないはずである。もちろん、使い方によっては、想像もしない言葉の組合せを生み出してくれたり、普通なら無関係な概念を結びつけてくれたりすることもあるので、創造性に一役買うことができるかもしれないが、それは科学におけるアブダクションによる仮説形成に相当するものと言ってもよいかもしれない。

そもそもなぜコンピュータが質問に答えられるのかということが疑問かもしれない。これは自然言語処理と呼ばれる技術の一つで、その中で、二〇一七年にGoogleによって開発されたTransformerと呼ばれる技術が大きな飛躍をもたらした。この技術は、ニューラルネットワークの階層の中で、言語単位としてのtoken（トークン）とtokenとの間にattention（注意）と呼ばれる特別な相互関連づけを行うことにより、長い文章の中でも正確に文脈を扱えるようにしたもので、同時に、言語処理を時系列順ではなく並列処理できるようにした点でも、画期的な技術だとされる。ChatGPTのTはこのTransformer技術を意味している。Transformerを使った言語処理システムとしては、二〇一八年にGoogleからBERTが公表され、大きな衝撃を与えた。GPTもその頃から開発が進められていたが、GPT-3になって、今回の大きな反響を巻き起こした。学習のしくみ自体をアーキテクチャとすれば、それに実際に文書を読み込ませて学習させてできたシステムをモデルと呼んでおく。一般にLLM（大規模言語モデル）と言うとき、アーキテクチャを指す場合もあるようだが、ここではモデルの意味で使うことにする。BERTを使った個別の課題に答えるモデルがつくられていたものの、GPT-3の汎用性は群を抜いている。BERTとGPT-3では学習のしくみが若干異なるようだが、主な違いは、学習することのできるデータ量、つまり、内部的なパラメータの数の違いだそうだ。BERTが数億個なのに対して、GPT-3は約二〇〇〇億個とされる。

現在話題となっている生成型ＡＩとしては、OpenAIが開発し公開しているChatGPTのほかに、

Googleが開発して公開したBardがある。また、Microsoftが開発して自社製品に組み込む予定のMicrosoft 365 Copilotも今後利用できるようになる。それ以外にも、さまざまな開発が進行しているようである。

ChatGPTは、全くの素人の質問にも答えてくれるという意味では、すでに普及しているGoogleなどの検索エンジンよりもユーザーに優しいかもしれない。出力された文章はいかにも人間が書いたもののように見えるが、実際には、ＡＩの側では論理的な推論や系統的な知識の蓄えなどがあるわけではなく、一番適切に見える言葉のつながりを生み出したに過ぎないのだそうだ。もっとも、Bardの場合には、推論なども含む仕様になっているので、生み出される回答も少し違ってくる。Microsoft 365 Copilotの場合には、定型的な文書作成などを効率化することが期待されている。生成型ＡＩについては、すでにさまざまな問題点が指摘されていて、ＡＩの学習に使われた文章の著作権を出力にどう反映させるのか、書かれている内容の真偽はどのように保証するのか、中傷や誹謗、差別などを含む文章が生成されないようにできるのかなど、考えるべき課題は多い。

実装のさまざまな可能性

生成型ＡＩの基本として、GPTなどのアーキテクチャを核に使うにしても、実装にあたってはさまざまなやり方が考えられる。少なくとも、学習に利用するデータの種類と規模やＡＩシステムで使うパラメータの数は大きな要素である。ChatGPTの説明資料を見る限り、使用されている元の書類はインターネットの巡回（クロール）で得られたものが大半のようで、玉石混淆というか、基本的にあまりきちんとした文章は多くないのかもしれない。そうした元の資料の内容チェックが本来は必要なのであろう。事前に内容の真偽やコンプライアンスをチェックする別のＡＩがあればよいはずで、それは十分に可能なはずだ。たぶん開発者がこれほどまでに大成功を収めるなどとは想像していなかったために、元になる資料をあらかじめ選別する必要を感じていなかったのだろう。今後、サーバーを更新する段階で、こうしたことを考慮していってほしいと思う。ここが難しいところで、コンピュータの専門家は、そうした選別を加えずにできるだけ幅広い文章を入力することで、よりよいデータベースやニューラルネットワークができると考えるようだが、そのあたりは純粋な情報科学と実際に社会で利用する技術との違いなのかもしれない。

すでに始まっている開発としては、日本語に特化した学習セットを使うというものがあり、サイバーエージェントが日本語のLLMを公開している。パラメータの数を変えて何種類かのものをつくっているそうだ。こうした場合、多言語を学習したGPT-3などのLLMよりもまともな日本語が読み書きできると期待されている。ただ、疑問もあって、多くの知識は英語で発表されているので、英語の文章を学習しないで、適切な知識内容が確保できるのだろうかとも思う。OpenAIの場合、読み込むもとの文章は言語を問わず集められていて、各言語ごとの処理を別々に行うわけではなく、大量の文書の学習の過程で、自ずから分類されてくるらしい。英語と日本語で同じ質問をするとほぼ同じ答えが返ってくるので、言語横断的な情報共有ができているらしい。その意味では、言語別のサーバーを別々に構築するのは現実的ではないのかもしれない。これに対して、Bardでは、各言語ごとに辞書を使って言語処理をしている。Bardでは、まだ（執筆時点で）英語と日本語と韓国語しか利用できないが、それでも、日本語と英語で質問をすると、かなり似た答えが返ってくる。

別のアイディアとしては、個別の目的ごとに特別に準備した原典（ネット上で自由にアクセスできるものとは限らない）を元にしたＡＩサービスを準備すれば、内容の正しさやコンプライアンスを保証できるはずである。カスタムメイドのLLMである。もちろん、さまざまな種類の文献が混ざっていても、ＡＩシステムの学習過程で、自然とクラスター化されることが期待されるので、本当に分野別にシステムを構築する必要があるかどうかはわからない。また、汎用的なモデルを一度つくって、それから追加学習をするという考えもある。それでも、官僚の作文の補助に使うのであれば、公文書の塊を学習セットとした専用のＡＩサーバーを政府がつくればよいように思う。その場合、部外秘という使い方になるかもしれない。すでに科学文献に対応したSciBERTというものがつくられているそうだが、学術的な出版社が協力すれば、きちんとした文献を元にした学術的なＡＩサーバーがつくれるかもしれない。今開発されているLLMはあくまでも、何ができるかを試している段階なので、今後は、各国ごとにもとになる知識の原典をきちんと整えた上で、全体を統合したLLMシステムをつくることを目指してほしい。公表されているマイクロソフトのCopilotの開発の考え方では、正確な情報源を使い、コンプライアンスにも配慮したシステムを提供することが謳われているが、よい方向に向かっているようだ。

あくまでもまだ実験段階

生成型ＡＩを使うと、学生のレポートとしてもっともらしいものができるといわれているが、私が見る限り、ChatGPTが生成する回答の文章は、かなり定型的で、どこか空々しく、本当に中身がわかって書いているわけではないことが透けて見える。言葉尻は整っているものの、どこかポイントを外しているように思う。詳しく追求していくと、ほぼ定型的な枠組に同じような言葉の繰り返しが埋め込まれていることが露呈されてくる。推論機能が含まれ、また、複数回答を提供してくれるBardの方がましなように感じられるが、設問によっても違うかもしれない。多くの人にとっては、そのあたりの感覚がわからないのかもしれないが、面接で表面的にうまく受け答えする学生が本当にわかっているのかを見破るのが面接担当者の腕であるとして、そうした目で見ると、ChatGPTは面接に合格できるようには思えない。また、文献を挙げるようにいうと確かに関連文献を挙げてくるのだが、AI自身がその中身を読んでいない（情報として取り込んでいない）ことが多いようで、チャットで話題にしている内容が書かれていない論文がいくつも出力されてくることにがっかりした。本当に表面的な受け答えだけなので、今公開されているものでは、レポートには絶対に使えないと思う。

生成型AIに関してかなり大きな問題となっているのが、間違いの出力である。特にウソの質問をしたときに、それにもっともらしく答えてしまうらしい。「埼玉県沖のかきはいくらですか」という例がネット上には出ていたが、それに対しても、もっともらしいでたらめな答えを返してくるそうだ。ただ、今同じことを試してみると埼玉県は海に面していないとまともな答えが返ってくるので、何らかの修正か学習が行われたようだ。また、間違った答えをしたときに、正解を与えてやると、次からはそれに迎合した答えをしてくるので、案外簡単に新しい情報を取り入れてしまうようだ。そうなると、偽情報を質問として与えることで、こうしたAIサーバーを壊すことも可能かもしれない。

もちろん開発者もすでにそうした対策も考えているのだろうが、今公開されているものはあくまでも実験用のもので、まだまだ技術を精緻化していく必要がある。

可能性と現実

ＡＩを裁判に応用するという試みについても報道されている。アメリカの司法試験をGPT-4にやらせるとトップ一割の成績を出したそうだ。たしかに法律は決まりごとの集まりなので、法律に合っているかどうかを判定するのは、情報処理技術が得意とする分野かもしれない。ただ、これは六法全書を調べながら答えているようなものなので、できて当たり前で、成績を額面通りに受け取るべきではない。しかし、判決を下すなど、判断をするのは難しいのではないだろうか。裁判に限らず、対話型のＡＩでも、わからないことをわからないと、自発的には言わない点が問題である。少なくともデフォルト状態では、ChatGPTは何が何でも答えを吐き出そうとする。それに対して、「おまえの言っていることは間違っている」、「おまえは本当は知らないのだろう」などと追求していくと、結局、情報が不十分でよくわからないことを白状するのだが、それも自動応答の流れなのだろう。それでもこれからの研究が必要だとか、専門家に聞くのがよいだとか、なんとか答えの形式を整えようとする。そのあたりはプロンプトエンジニアリングという別の技術の出番だそうだ。受け答えそのものは、たぶん技術的に体裁を整えることができるのだろうが、やはりきちんとした推論機能を搭載して、どこまでわかり、何がわからないかを、確率つきでもよいので、自ら判断できるようにするのがよいと思う。

生成型ＡＩに関しては、夢のような無限の可能性が取りざたされて、期待と同時に不安も多いようだが、政策面ではどのような規制をすべきかが問題となっている。ＥＵ（ヨーロッパ連合）では、著作権を明示すべきということが強く打ち出されているが、日本では遅れている開発を促進すべく、何でもありの状況になっている。そのため、特に、画像の生成などでは、著作権侵害が深刻な問題となり始めている。守るべきものはＡＩ開発企業だけでなく、幅広い文化活動のはずである。技術もグローバル化している現在、いかに競争が厳しいといっても、日本でだけ通用するものをつくる意味はなく、それを乗り越えて国際的に通用するシステムを開発するしかないと思うのだが、日本の政治家の発想は未だに富国強兵の頃のままなのかもしれない。

生成型に限らず、ＡＩは医療の現場などでも活用されはじめていて、Ｘ線写真やＭＲＩ画像などを見て診断するときに、かなりの専門家でなければわからない病変をＡＩが自動的に見つけてくれるようになりつつあるそうである。同様のことはいくらもあり得て、全然違う例でいうと、星空を毎日観察して、新星を発見するようなこともできるだろうし、気象衛星などによるリモートセンシングによる観測で得られる情報を飛躍的に増やすこともできるだろう。同様にして、軍事的な活用はすでに行われているに違いない。自分のゲノム情報を解読してもらえるようになったときに、そこから遺伝病の可能性を見つけ出すこともできるだろうし、逆に大量のゲノムデータから、きわめて稀な病気の原因につながる遺伝子変異をうまく見いだすことができるようになるかもしれない。経済や投資、経営などの面での活用が考えられるのは言うまでもない。ＡＩとどうつきあうのかは、今回のコロナ禍や気候変動でも使われているコンピュータシミュレーションとのつきあい方の延長上にあると思う。活用の場面や信頼性など、まだまだ考えるべきことは多い。また、一口に生成型ＡＩといっても、実装のしかたには各社の特色があり、本当に使えるものにするには、まだまだ開発が必要に思われる。

再び「科学×技術×社会」

ここで最初の図1を振り返ってみたい。ＡＩそのものはコンピュータをどのように活用するかという情報技術であるが、その根底には、コンピュータによる演算の数学理論や、ハードウエアを構築する半導体の基礎となる科学と技術がある。この場合、一見したところ、他のテーマのような外来性の課題や災禍があるようには見えないが、高度に発展し、情報があふれる社会における情報処理のニーズが課題に相当すると考えられる。それに対して技術が生み出す解決策は、適応とも緩和とも言えそうだが、ともかく、解決策としての新技術を社会がどのように受け入れ、政策がどのように活用・規制するのかが問題である。そして何よりも、社会の側からの批判的なフィードバックが技術を変えていく力になる。誤った出力や不適切な利用を如何に抑制し、有効活用していくのか、過度な期待や過信と不安が入り交じった状況は、コロナ禍初期にも似ている。東大五月祭のＡＩ裁判の宣伝文句には、機械が出した判決をどう思うかなどと、センセーショナルな文言が書かれているが、判決を出すのは機械ではなく、学習データやそれを処理するシステムであり、結局はそれをつくった人間の知恵である。対話型ＡＩや生成型ＡＩでも同じである。何もないところから文章や画像が出力されるわけではない。使用者がそれと認識していないだけである。こうした点の理解を深める時間は十分にあるので、じっくりフィードバックを効かせて、よりよい利用法を開拓していくことができるのではないだろうか。その意味では、コロナ禍とも気候変動問題とも異なる方向性がありうる。逆に言えば、コロナ禍も気候変動問題も、問題が大きくなる前に、このようなオープンな気持ちでしっかりとしたフィードバックが形成できることが望ましかったと述べてこの補論を結び、本書を締めくくることとする。

おわりに

本書の執筆を始めたのはコロナ禍が始まって一年ほど経った頃、これは科学と社会の関係を考えるよい機会となると思ったときからだった。もちろん、気候変動問題に関するさまざまな疑念や論議が長いことくすぶっていて、それとかみ合うのではないかと思ったからである。地球温暖化問題に関する疑念は、光合成の教科書である『光合成の科学』を二〇〇七年に共著として出版したときにもすでにあり、その本の中でも関連したことを繰り返し取り上げて書いていた。その後、『エントロピーから読み解く生物学』においても、太陽光が宇宙に散逸していく通過点としての地球を大量のエネルギーが流れていく過程で生命が成り立ち、また、地球環境も形づくられることを説明していた。地球環境問題を二酸化炭素排出だけに集約してしまう単純化は、一般人にはわかりやすいものの、科学を理解するものにとっては、大きな闇というのか恐ろしさを感じさせる。

二〇一九年の感染拡大から、新型コロナ感染症問題がマスコミで大々的に取り上げられるようになり、退職後の私は、昼のワイドショーで何人もの専門家がさまざまな意見を語るのを見るのが日常になった。その中で、最初は威勢のよいことを述べていた専門家の発言のトーンも次第に色あせてきて、司会者やコメンテーターもだんだん醒めてきた。二〇一九年の前半に大騒ぎだったのが、一年もするとウソのようになってきた。前著『科学哲学へのいざない』の執筆時期とも重なり、専門家の言うことが必ずしも信頼に値しないという話をその中でも披露したのだが、やはりこれはそれだけでは済まないと考え、独立した書物を執筆する必要があると感じた。コロナ禍が第八波もほぼ終わりかけている現在、コロナ禍の総括をしつつ、気候変動問題を議論する形で、科学と社会の関係を扱う本をまとめるに到った。いまや、ロシアによるウクライナ侵略という新たな事態がすでに日常化した感があるが、戦争は環境問題にとっても最悪である。地球温暖化問題の論客が誰も戦争を正面切って議論しないのも困ったものである。そのため、コロナ禍、気候変動、そして戦争と重たいテーマの間のつながりを考察することとなった。

本書は特別な科学知識をもつ専門家を対象としたものではなく、大学生くらいが肩肘張らずに読めるくらいのものになっているはずであるが、かといって、いい加減な軽い内容でもない。私の文章がかなり軽いタッチになっているので、この原稿を見てもらったいくつかの出版社からは専門書ではないので扱えないとの烙印を押されてしまったが、中身は専門書にも匹敵する内容を盛り込んでいるつもりである。特に、科学とは何か、技術とは何かという論理がポイントである。また、コロナ禍と気候変動という現在話題の二つのテーマを扱っている、いわば話題目当ての本という見方もされてしまいがちであった。そのため、最初から本書のねらいを何度も繰り返して強調することにした。つまり、コロナ禍を経験して科学に対して疑念をもつようになった人々がなぜ同じ疑念を気候変動問題に向けないのかということである。すなわち、これは話題性のある二つのテーマをてんこ盛りにしたものではなく、全体として、一つのことを追求したプロジェクトなのである。社会において、科学や技術がどのような役割を果たすべきであるのか、そして、人々はそれらにどのように接していくのがよいのか、ということである。その場合のキーワードは「疑うこと」である。どんな話も疑って掛かること、これが科学の真髄であり、それだけが真実に向かう道でもある。同じことは、技術や政策にも向けられなければならない。しかし、疑うことはデマを飛ばすことではない。何でも否定するデマを拡散することは認められない。つまり、正当に疑うことは簡単ではないのである。しっかりとした分析能力、論理的な能力、そして、幅広い知識が必要である。ネットをちょこちょこっと調べてわかるような問題ではない。自分自身の頭でしっかり考えることが大切である。その意味で、これは軽い本ではないのである。文章の見かけ上の軽さとは裏腹に、読者にしっかりと考えることを要求しているつもりである。本当は最初にこの忠告を述べておくとよいのかもしれないが、それでは誰しも尻込みしてしまうだろう。ここまで読んで初めて私の真意がわかるのかもしれない。

本書では、科学を「疑う活動」と定義してきたが、ことによると、そう思って研究をしている科学者は多くないのかもしれない。私自身は、現在も、狭い意味での自分の専門領域の研究では、葉緑体の細胞内共生説を疑い、見直しの作業をしているし、いつでも既存の考えを疑いながら、研究活動をしてきた。しかし、例えば基礎科学者でも、バイオ燃料の開発をしている場合、前提条件を疑うことはまずないので、その場合は応用技術開発をしていることになる。疑うチャンスはいくらでもあると思うが、なかなか難しいかもしれない。そのため、本書の主張は必ずしも自明のことではないのかもしれないということに、最後になって思い至った。本というのはそういうものかもしれない。私にとって自明なことでなければ、自信をもって語れない。読者の皆さんには是非、この私の考えに向き合い、それも疑いつつ、読んでいただきたいと思う。

本書の執筆は、コロナ禍で非常勤講師を務める大学のオンライン授業が続く中で進められた。現在は資料を調べるのもオンラインでできるので、落ち着いた時間がとれる環境の中で、じっくり考えながら進めることができた。また、昔から趣味として関心のあった気象関係の問題も、それぞれの専門書を読んで、基本となる理論から考えることができた。私自身、医学も気象学も専門ではないが、かといって全くの門外漢というわけでもない。むしろ少し離れた立場ではあるものの、一科学者としての視点で、それぞれの問題を考察したつもりである。コロナ禍や温暖化の影響を実際に受けるのは一般の人々である。私としては、専門家と一般の人々の間をつなぐ形で話をしていて、しかも、専門家へのフィードバックができるよう、心がけたつもりである。専門の方が本書を手に取ることもあるかもしれないが、そのときは、門外漢がおかしなことを言っていると切り捨てるのではなく、こうした立場からのフィードバックとして検討していただきたいと思う。一方で、一般の読者の方々には、世間ではやっている意見に惑わされないで、自分の頭で考えることをお願いしたい。本書はそのための材料を提供しているつもりである。

本書をまとめ終わった頃に、ＡＩの問題が社会を賑わわせることとなった。これも科学と技術と社会をめぐる重要な問題であり、また、本文中でも何度も取り上げたコンピュータシミュレーションにも関連するテーマであると考え、急遽、補論を追加することとした。他の部分と少し違った議論に見えるかもしれないが、社会において科学や技術がどのように利用されるのかという点で共通している。私自身、遺伝子解析ソフトウエアを自分で開発するなど、コンピュータについてもある程度の知識はあるが、ＡＩの進歩は非常に速く、内容はすぐに古くなってしまうかもしれない。ただ、根本的な問題設定は他のテーマとも共通していると考えている。

最後に、本書の出版に関して、内容の検討をしていただくなど、大いにお世話になった本田康広氏ほかミネルヴァ書房の皆さんに感謝申し上げます。また、身内ながら、人工知能関係についてコメントをくれた佐藤薫氏にも感謝いたします。

二〇二三年六月

佐藤直樹

参考文献

第Ⅰ部関連

伊勢田哲治（二〇〇三）『疑似科学と科学の哲学』名古屋大学出版会

佐藤直樹（二〇一八）『創発の生命学』青土社

佐藤直樹（二〇二〇）『科学哲学へのいざない』青土社

東京大学生命科学教科書編集委員会（二〇一七）『演習で学ぶ生命科学』（第二版）羊土社

Adam, D. (2022) Tonga volcano created puzzling atmospheric ripples. *Nature* 602: 497.

第Ⅱ部関連

稲葉寿（二〇一五）基本再生産数R_0の数理。システム／制御／情報 59：434–439

稲葉寿（二〇二〇）感染症数理モデルとCOVID-19。日本医師会COVID-19有識者会議講義録

加藤茂孝（二〇一六）『人類と感染症との闘い――「得体の知れないものへの怯え」から「知れて安心へ」（続）第7回「コレラ」――激しい脱水症状』モダンメディア 62：221–232

狩野繁之（二〇一一）『わが国のマラリア――今どのように診断して治療するか』モダンメディア 57：299–308

高崎智彦（二〇一九）『蚊媒介ウイルス感染症――現状と対策』モダンメディア 65：135–139

中野貴司（二〇一九）『現代におけるポリオの流行と感染対策』モダンメディア 65：93–100

林谷秀樹（二〇二一）『ペスト』モダンメディア 67：161–266

ペロー、シュワルツ著、佐藤直樹、ガリポン監訳　笹川昇、佐藤直樹、松田良一監修（二〇一三）『パスツールと微生物　伝染病の解明と治療につくした科学者』丸善出版

Barron, M. (2022) Monkeypox vs. COVID-19. American Society of Microbiology web site. https://asm.org/Articles/2022/August/Monkeypox-vs-COVID-19

Brierley, L. et al. (2022) Tracking changes between preprint posting and journal publication during a pandemic. *PLoS Biol*. e3001285.

Camus, A. (1947) *La peste*. Gallimard, Paris. 宮崎嶺雄訳（一九五〇）『ペスト』創元社

Dance, A. (2022) Omicron's lingering mysteries. *Nature* 603: 22–24.

Douaud, G. et al. (2022) SARS-CoV-2 is associated with changes in brain structure in UK Biobank. *Nature* 604: 697–707.

Kuhn, T. S. (1962/1970) *The Structure of Scientific Revolutions*. University of Chicago Press, Chicago. 中山茂訳（一九六九）『科学革命の構造』みすず書房

Makowski, E. K. et al. (2022) Mutational analysis of SARS–CoV–2 variants of concern reveals key tradeoffs between receptor affinity and antibody escape. *PLoS Comput Biol* 18: e1010160.

Mallapaty, S. (2022) The hunt for the origins of Omicron. *Nature* 602: 26–28.

Nature Editorials (2022) Wanted: better systems for turing evidence into action. *Nature* 603: 7–8.

Tuekprakhon, A. et al. (2022) Antibody escape of SARS–CoV–2 Omicron BA.4 and BA.5 from vaccine and BA.1 serum. *Cell* 185: 2422–2433.

Wang, Q. et al. (2023) Alarming antibody evasion properties of rising SARS–CoV–2 BQ and XBB subvariants. *Cell* 186: 279–286.

第Ⅲ部関連

稲津將（二〇二三）『気象学の教科書』成山堂書店

小倉義光（一九九七）『メソ気象の基礎理論』東京大学出版会

海部宣男・杉山直・佐々木晶（二〇一四）『宇宙・自然システムと人類』放送大学大学院教材、放送大学教育振興会

加藤輝之（二〇二二）『アメダス3時間積算降水量でみた集中豪雨事例発生頻度の過去45年間の経年変化』天気 69：247–252

川瀬宏明（二〇二一）『極端豪雨はなぜ毎年のように発生するのか』化学同人

斎藤錬一・奥田節夫・斎藤亮平（一九七三）『集中豪雨　新しい災害と防災』日本放送出版協会

佐藤直樹（二〇一二）『エントロピーから読み解く生物学――めぐりめぐむ　わきあがる生命』裳華房

島内武彦（一九六六）『構造化学講義資料』裳華房

中川和道・蛯名邦禎・伊藤真之（二〇〇四）『環境物理学』裳華房

中川毅（二〇一七）『人類と気候の10万年史』ブルーバックス

中村和郎・木村竜治・内嶋善兵衛（一九八六）『日本の気候』日本の自然5　岩波書店

新田尚（二〇一二）『激しい大気現象』東京堂出版

肱岡靖明（二〇二一）『気候変動への「適応」を考える――不確実な未来への備え』丸善出版

吉崎正憲・加藤輝之（二〇〇七）『豪雨・豪雪の気象学』朝倉書店

ラトゥーシュ・セルジュ、アルパジェス・ディディエ著、佐藤直樹、佐藤薫訳（二〇一四）『脱成長（ダウンシフト）のとき――人間らしい時間をとりもどすために』未来社

Carlson, C. J. et al. (2022) Climate change increases cross-species viral transmission risk. *Nature* 607: 555–562.

Kaufman, D. S. and Broadman, E. (2023) Revisiting the Holocene global temperature conundrum. *Nature* 614: 425–435.

Ksenzhek, O. S. (2005) *Plant Energetics,* Academic Press, San Diego.

Lenderink, G. and van Meijgaard, E. (2008) Increase in hourly precipitation extremes beyond expectations from temperature changes. *Nature Geoscience* 1: 511–514.

North Greenland Ice Core Project members (2004) High-resolution record of Northern hemisphere climate extending into the last interglacial period. *Nature* 431: 147–151.

索　引

た　行

な　行

さ　行

索　引

あ　行

か　行

《著者紹介》

佐藤直樹（さとう・なおき）

東京大学名誉教授。

1981年東京大学大学院理学系研究科博士課程単位修得退学。

同年，理学博士（東京大学）。

主な著書に『科学哲学へのいざない』（青土社，2020年），『植物生理学』（裳華房，2014年），『40年後の「偶然と必然」』（東京大学出版会，2012年）等がある。

コロナ禍と気候変動問題から考える
科学×技術×社会

2023年9月15日　初版第1刷発行　〈検印省略〉

定価はカバーに
表示しています

著　者　佐藤直樹
発行者　杉田啓三
印刷者　坂本喜杏

発行所　株式会社　ミネルヴァ書房
607-8494　京都市山科区日ノ岡堤谷町1
電話代表　(075) 581-5191番
振替口座　01020-0-8076番

冨山房インターナショナル・新生製本

ISBN 978-4-623-09613-8
Printed in Japan